AME O SEU PRÓXIMO

AME O SEU PRÓXIMO

A ética radical de Jesus

—

DAVI LAGO

mundocristão

Copyright © 2020 por Davi Lago

Os textos bíblicos foram extraídos da *Nova Versão Transformadora* (NVT), da Editora Mundo Cristão (usado com permissão da Tyndale House Publishers, Inc.), salvo indicação específica.

Todos os direitos reservados e protegidos pela Lei 9.610, de 19/02/1998.

É expressamente proibida a reprodução total ou parcial deste livro, por quaisquer meios (eletrônicos, mecânicos, fotográficos, gravação e outros), sem prévia autorização, por escrito, da editora.

Preparação
Natália Custódio

Produção e diagramação
Felipe Marques

Colaboração
Ana Luiza Ferreira

Capa
Jonatas Belan

CIP-Brasil. Catalogação na publicação
Sindicato Nacional dos Editores de Livros, RJ

L174a

    Lago, Davi
      Ame o seu próximo : a ética radical de Jesus / Davi Lago. - 1. ed. - São Paulo : Mundo Cristão, 2020.
      208 p.

      ISBN 978-65-86027-36-5

      1. Ética cristã. 2. Amor - Aspectos religiosos - Cristianismo. 3. Dez Mandamentos. I. Título.

20-65756
                                       CDD: 241.677
                                       CDU: 27:177.61

Categoria: Espiritualidade
1ª edição: novembro de 2020

Publicado no Brasil com todos os direitos reservados por:

Editora Mundo Cristão
Rua Antônio Carlos Tacconi, 69
São Paulo, SP, Brasil
CEP 04810-020
Telefone: (11) 2127-4147
www.mundocristao.com.br

Para minha mãe

Esmeralda Hebe,

*que me ensinou a
amar o Senhor.*

Sumário

Agradecimentos   9
Uma palavra do autor   11

1. Ame o seu próximo   15
   Fundamentos israelitas do conceito cristão de amor
2. Ame o seu inimigo   21
   O triunfo do amor sobre o ódio
3. Ame sem omissão   30
   A parábola do bom samaritano
4. Ame sem ganância   43
   Jesus e o jovem rico
5. Ame a Deus, ame o próximo   54
   O significado dos maiores mandamentos de Jesus
6. Ame, não desobedeça   64
   A prática dos maiores mandamentos de Jesus
7. Não faça mal ao próximo   76
   O conceito minimalista de amor
8. Ame, não devore   84
   Implicações éticas da liberdade cristã
9. Pelo Rei, pelo reino, por uma nova realidade   97
   A lei régia do amor

Palavras finais   113
Notas   119
Sobre o autor   127

Agradecimentos

....

Natália.
As brasas do amor são fogo ardente (Ct 8.6).

Maria, minha filha.

• • •

Mark Carpenter, Renato Fleischner, Ricardo Dinapoli,
Silvia Justino, Marcelo Martins, Selmi Aquino, Editora
Mundo Cristão, pelo incentivo ininterrupto e cuidado com
minha vida e família.

• • •

Andréa Kogan, Tiago Pavinatto, Flávia Sarinho,
Lívia Andrade, Luis Felipe Pondé, Danit Pondé & LABÔ.

Uma palavra do autor

No curso dos últimos dois mil anos, os cristãos têm apresentado uma trajetória ambígua: uma parte obedece aos mandamentos de Jesus de Nazaré, outra parte desobedece. O próprio Jesus, porém, disse que os falsos profetas seriam reconhecidos por seus frutos (Mt 7.20). Ele fez alusão ao joio no meio do trigo e aos lobos travestidos de ovelhas: "Nem todos que me chamam: 'Senhor! Senhor!', entrarão no reino dos céus, mas apenas aqueles que, de fato, fazem a vontade de meu Pai [...]. Eu, porém, responderei: 'Nunca os conheci. Afastem-se de mim, vocês que desobedecem à lei!'" (Mt 7.21,23). Assim, quando estudamos a ética radical de Jesus, orientada pelo amor a Deus e ao próximo, percebemos que os exemplos negativos, de ódio ao próximo, atestam um comportamento pseudocristão, anticristão, próprio de quem age como um anticristo.

Jesus foi muito claro ao afirmar o critério para reconhecer seus legítimos discípulos: "*Seu amor uns pelos outros* provará ao mundo que são meus discípulos" (Jo 13.35). De fato, a cristandade gerou iniciativas de amor ao próximo impressionantes, levando até os mais ferrenhos adversários da fé a admitirem que existe algo incomum na tradição beneficente cristã.[1] Os fundadores das organizações Greenpeace, Anistia Internacional e Cruz Vermelha, para citar alguns exemplos, são vinculados à tradição cristã.[2] As convicções e realizações cristãs estabeleceram um contraste espantoso com seu entorno histórico, alterando práticas discriminatórias de culturas antigas.[3]

O alvo desta obra é examinar por que, afinal, as credenciais da tradição cristã no cuidado com os discriminados e marginalizados são tão díspares das de outras culturas.

A resposta certamente parte da compreensão do conceito cristão de *amar o próximo*, tanto em sua dimensão prática como em sua dimensão intelectual. Não por acaso, ele é tema incontornável na obra dos maiores pensadores cristãos, como Agostinho, Pascal e Kierkegaard, e de não cristãos, como Voltaire, Nietzsche e Bertrand Russell. No entanto, além de sua irresistível força prática e filosófica, o mandamento do amor ao próximo tem, para os cristãos, uma dimensão espiritual. Por isso, é necessário compreender o tema a partir do exame rigoroso dos textos bíblicos em conexão com a vida eclesial e seus desdobramentos históricos.

Nossa reflexão inicia com o primeiro registro do comando "ame o seu próximo como a si mesmo", em Levítico 19.18. Na pesquisa para esta obra, descobri que esse é o texto do Antigo Testamento mais citado no Novo Testamento. Ele é repetido expressamente em:

- Mateus 5.43; 19.19; 22.39
- Marcos 12.31,33
- Lucas 10.27
- Romanos 13.9
- Gálatas 5.14
- Tiago 2.8

Assim, o comando "ame o seu próximo" está relacionado com textos decisivos para a civilização, como o Sermão do Monte, a regra de ouro, a parábola do bom samaritano e a exposição sistemática da doutrina cristã aos romanos pelo apóstolo Paulo. O preceito também esteve no centro de controvérsias, como o conflito de Cristo com os líderes fariseus e o conflito de Paulo com os gálatas legalistas. Foi chamado por Tiago de *lei do reino* e por Jesus de *segundo maior mandamento*, atrás apenas do mandamento de amar a Deus de todo o coração, de toda a alma e de todo o entendimento.

Nosso objetivo nos capítulos seguintes é examinar o sentido e a potência do mandamento cristão de amar o próximo nestas três dimensões: ética, filosófica e espiritual.

Votos de graça e paz aos leitores.

Ab imo corde,
Davi Lago

1
Ame o seu próximo

Fundamentos israelitas do conceito cristão de amor

....

Não procurem se vingar nem guardem rancor de alguém do seu povo, mas cada um ame o seu próximo como a si mesmo. Eu sou o SENHOR.

LEVÍTICO 19.18

....

Não há como compreender adequadamente o ensino de Jesus sobre o amor ao próximo sem conhecer suas bases israelitas, especialmente os ensinamentos da Bíblia hebraica.[1] É importante perceber desde já que a cultura israelita é uma cultura da palavra: "Os judeus não construíram pirâmides, não ergueram catedrais majestosas, não construíram a muralha da China, nem o Taj Mahal. Criaram textos e os liam juntos, em família, em refeições festivas e também nas refeições diárias".[2] No coração desses textos estava o ensino sobre o amor a Deus e ao próximo. Portanto, examinaremos neste capítulo cinco elementos essenciais sobre as raízes israelitas da ética radical de Jesus.

Em primeiro lugar, vale a pena destacar que, embora o comando "ame o seu próximo" seja muito antigo, ele permanece atual. Enquanto povos antigos e culturas inteiras desapareceram ou deixaram apenas fragmentos de textos, o povo israelita não só permaneceu como também conservou suas tradições e narrativas religiosas. Aliás, a cultura israelita caracteriza-se por sua impressionante longevidade e preservação, comprovadas por diversos artefatos arqueológicos, entre os quais a

Estela de Merneptá,[3] documento egípcio datado de 1210 a.C. que menciona explicitamente o povo de Israel.

O mandamento de "amar o próximo como a si mesmo" é uma das glórias da civilização judaica[4] e, embora datado de alguns milênios, seu frescor e beleza permanecem. Sua relevância é indisputável. Sua aplicabilidade universal, irrefutável. Com base nele, Bari Weiss afirmou que, diante dos desafios contemporâneos, "jamais devemos nos esquecer de amar o próximo. Um ataque a uma minoria é um ataque a você".[5]

Em segundo lugar, o comando "ame o seu próximo" é fundamentado em duas afirmações centrais da teologia apresentada na Bíblia hebraica: a soberania de Deus e a dignidade de todos os seres humanos. A soberania de Deus é a base de toda a cultura judaica. Um ditado rabínico afirma que a Torá[6] "inicia com a segunda letra do alfabeto [...] para sugerir que a mente humana não é capaz de compreender a perfeita unidade (o 'alef'; o 'único') que precedeu a revelação de Deus sobre seu Ser".[7]

Para os israelitas, foi o próprio Deus quem criou os seres humanos: "Façamos o ser humano *à nossa imagem*; ele será semelhante a nós. [...] Assim, Deus criou os seres humanos *à sua própria imagem*, à imagem de Deus os criou; homem e mulher os criou" (Gn 1.26-27). O rabino Jonathan Sacks explicou a importância desse texto com uma inteligência peculiar:

> O que é revolucionário nessa declaração não é o fato de os seres humanos serem imagem de Deus. Isso é precisamente como se consideravam os reis das cidades-estado da Mesopotâmia e os faraós do Egito. Eles se enxergavam como representantes, imagens vivas dos deuses. Era dessa compreensão que derivava sua autoridade. A dimensão revolucionária dessa declaração é que

não apenas alguns, mas todos os seres humanos compartilham essa dignidade. Independentemente de classe, cor, cultura, credo, todos somos à imagem e semelhança de Deus.[8]

Esses dois conceitos abrem caminho para a consciência israelita acerca da responsabilidade social:

> O que distinguiu desde logo a Torá de todas as leis religiosas que a precederam foi o fato de que as prescrições dadas por Deus a Moisés não eram apenas culturais, mas também morais: o povo de Israel assumiu o dever não só de prestar um culto a Iahweh [Deus], de acordo com o ritual prescrito, mas também de viver de modo justo e digno.[9]

Em terceiro lugar, o comando "ame o seu próximo" advertia os israelitas contra os abusos de autoridade. O entendimento de que todas as pessoas são igualmente dignas era um obstáculo aos sacerdotes corruptos que pretendessem se impor sobre os demais. As estruturas hierárquicas na cultura judaica são funcionais, não ontológicas. Ou seja, os seres humanos podem ocupar uma função hierarquicamente superior em determinado contexto (como um *chef* de restaurante, um supervisor de empresa ou um capitão de time de futebol), mas nenhuma pessoa é em si mesma superior a outra.

A compreensão da mesma dignidade ontológica é consequência do monoteísmo israelita, que removeu inteiramente as bases mitológicas da hierarquia. Não existe hierarquia entre deuses porque há apenas um Deus, criador de tudo e de todos. Somente o ser de Deus é superior, prerrogativa não extensível entre seres humanos.[10]

Vale destacar que o livro de Levítico, como os demais livros da lei, era acessível a todo o povo de Israel. Ainda que o texto apresente diretrizes, leis e rituais acerca da adoração formal e da organização social de Israel, mais especialmente voltada aos sacerdotes, todos os israelitas deveriam conhecer seu conteúdo. Esse conhecimento lhes permitia realizar o culto de modo aceitável a Deus e verificar se a lei era cumprida devidamente pelos sacerdotes. Além disso, "impedia que os sacerdotes ganhassem controle indevido sobre o povo, mantendo como conhecimento secreto o funcionamento básico do santuário".[11]

Na cultura israelita, ninguém devia ser explorado, ninguém podia aproveitar-se do outro, pelo contrário, o dever israelita era manifestar o caráter santo de Deus. Enquanto no antigo Oriente Próximo as pessoas em situação de desvantagem tendiam a ser exploradas e a sofrer abusos, entre os israelitas deviam ser tratadas com consideração, pois levavam em si a imagem do Deus a quem Israel era ordenado a reverenciar.[12] A proteção legislativa aos surdos e cegos, por exemplo, incapazes de defender-se, era um dos diferenciais da ética de Israel (Lv 19.14).

Em quarto lugar, o comando "ame o seu próximo" conectava a prática do amor aos preceitos da justiça. Para Israel, não existe amor separado do amor de Deus, e por ser santo o amor de Deus também exige justiça. Amar o próximo é resgatá-lo do pecado, evitando, assim, que sua culpa prejudique toda a comunidade. O israelita não estava autorizado a simplesmente seguir sua vida sem importar-se com o outro. Era seu dever alertar os demais dos erros cometidos. Amar o próximo é reprová-lo quando necessário, é corrigi-lo, pelo bem dele e de todos. O viver, justa ou injustamente, afeta toda a comunidade de Israel.

Na visão israelita, portanto, a ênfase está na vida em comunidade, não na vida egoísta.[13] A desonestidade, a mentira e a vingança são proibidas por contrariarem a ética da aliança entre Deus e Israel. Por sua própria natureza e por fomentar a suspeita, a desconfiança e o ódio enfraquecem seriamente a estrutura da sociedade.

O amor também confia na justiça de Deus. A vingança pertence a Deus, que dela cuidará no tempo certo (Dt 32.35). Quanto ao povo de Deus, deveria aprender a renunciar à vingança e confiar no amor de Deus. Como Deus é justo e amoroso, seu povo é chamado a ser justo e amoroso. A ênfase, contudo, não está na ordem, mas na obediência. Ao verdadeiramente amar a Deus, os israelitas verdadeiramente amariam o próximo.[14]

Em Levítico 19.18, o mandamento do amor ao próximo não anuncia um amor barato, raso e pueril, mas um amor conectado com a justiça de modo prático. Aliás, todo o trecho de Levítico 19.1—20.27 é uma compilação com exemplos de amor ao próximo.[15] Esse amor deveria manifestar-se em todos os aspectos da vida: na fala, no trato com os menos favorecidos, na administração da justiça, na condução dos negócios. Assim, amor e justiça são os alicerces da sociedade.

Em quinto lugar, o comando "ame o seu próximo" está explicitamente relacionado ao amor pelos estrangeiros. A nação de Israel era conclamada a não adotar as práticas dos povos circunvizinhos. Em vez disso, deveria preservar sua santidade, afastando-se de tudo que não refletisse o caráter de Deus. Isso, contudo, não significava que os estrangeiros deveriam ser gratuitamente odiados, desrespeitados ou esvaziados da própria humanidade. "Não se aproveitem dos estrangeiros que vivem entre vocês na terra. Tratem-nos como se fossem israelitas de nascimento e amem-nos como a si mesmos. Lembrem-se de que vocês eram estrangeiros quando moravam na terra do Egito. Eu sou o Senhor, seu Deus" (Lv 19.33-34).

Desse modo, os israelitas deveriam respeitar a imagem de Deus em todas as pessoas, o que incluía os estrangeiros. Os eruditos afirmam que esse comando era "sem igual no mundo antigo, e representa um dos preceitos morais mais destacados do Antigo Testamento".[16] Levítico "representa o ponto alto do amor ao próximo no Antigo Testamento, amor ordenado por Deus em termos claros e concisos".[17]

A fé cristã floresceu no solo da fé israelita. Em diálogo direto com a *Tanak*, Jesus Cristo autenticou a unificação do mandamento "Ame o SENHOR, seu Deus" (Dt 6.5), com o mandamento levítico "cada um ame o seu próximo como a si mesmo" (Lv 19.18), chamando-os respectivamente de o "grande mandamento" e o "segundo mandamento". Como Bento XVI observou: "Com a centralidade do amor, a fé cristã acolheu o núcleo da fé de Israel e, ao mesmo tempo, deu a esse núcleo uma nova profundidade e amplitude".[18]

Jesus foi além. Não apenas reafirmou o que já se sabia, mas personificou o cumprimento e o modelo do amor de Deus: "Por isso, agora lhes dou um novo mandamento: Amem uns aos outros. Assim como eu os amei, vocês devem amar uns aos outros. Seu amor uns pelos outros provará ao mundo que são meus discípulos" (Jo 13.34-35).

2
Ame o seu inimigo
O triunfo do amor sobre o ódio

> Vocês ouviram o que foi dito: "Ame o seu próximo" e odeie o seu inimigo. Eu, porém, lhes digo: amem os seus inimigos e orem por quem os persegue. Desse modo, vocês agirão como verdadeiros filhos de seu Pai, que está no céu. Pois ele dá a luz do sol tanto a maus como a bons e faz chover tanto sobre justos como injustos. Se amarem apenas aqueles que os amam, que recompensa receberão? Até os cobradores de impostos fazem o mesmo. Se cumprimentarem apenas seus amigos, que estarão fazendo de mais? Até os gentios fazem isso. Portanto, sejam perfeitos, como perfeito é seu Pai celestial.
>
> Mateus 5.43-48

Nos dias de Jesus, a lei do amor fora completamente deturpada. Os líderes religiosos adicionaram um mandamento-parasita ("odeie o seu inimigo") ao mandamento simples de amar o próximo, presente em Levítico 19.18,34. Embora esse texto incluísse israelitas e estrangeiros residentes, alguns acabaram restringindo seu alcance a indivíduos do mesmo grupo.[1] Os fariseus, por exemplo, dividiam o mundo entre os que eles amavam e os que eles odiavam, tornando o ódio parte do núcleo doutrinário farisaico.

Deus, no entanto, jamais ordenara ou incentivara o ódio, nem mesmo contra os inimigos de seu povo. Quando o salmista declara, como desabafo, odiar aqueles que odeiam a Deus, imediatamente pede ao Senhor que lhe examine o coração e o conduza pelo caminho eterno (Sl 139.21-24).

Não há no Antigo Testamento, portanto, nenhuma ordenança de Deus ao ódio. Ao contrário. Quando da entrega dos Dez Mandamentos ao povo, Deus ordena: "Se você deparar com o boi ou o jumento perdido de seu inimigo, leve-o de volta ao dono. Se vir o jumento de alguém que o odeia cair sob o peso de sua carga, não faça de conta que não viu. Pare e ajude o dono a levantá-lo" (Êx 23.4-5). Ele proíbe ao seu povo fazer vista grossa diante da propriedade perdida de algum inimigo. Em vez disso, era seu dever devolvê-la ao dono, ainda que este o odiasse.

Ao apresentar sua causa diante de Deus, Jó — cujo livro é tido como o mais antigo da Bíblia — faz a seguinte oração:

> Alguma vez me alegrei com a desgraça de meus inimigos,
>> ou exultei porque lhes aconteceu algum mal?
>
> Não, jamais cometi o pecado de amaldiçoar alguém
>> ou de pedir sua morte como vingança. [...]
>
> Se a terra protestar contra mim,
>> se todos os seus sulcos clamarem,
>
> se roubei suas colheitas,
>> ou se matei seus donos,
>
> que cresçam espinhos em lugar de trigo
>> e ervas daninhas em lugar de cevada.
>
> Jó 31.29-30,38-40

Jó não só estava ciente de que a celebração da desgraça do inimigo era merecedora de castigo como também discernia que Deus não se apraz desse tipo de comportamento.

O livro de Provérbios traz claramente: "Não se alegre quando seu inimigo cair; não exulte quando ele tropeçar. Pois o Senhor se desagradará disso e dele desviará sua ira" (Pv 24.17-18). E ainda: "Se seus inimigos tiverem fome, dê-lhes de comer; se tiverem sede, dê-lhes de beber. Você amontoará brasas vivas sobre a cabeça deles, e o Senhor o recompensará" (Pv 25.21-22), texto este citado por Paulo em Romanos 12.20.

Jesus passa uma navalha no ensino mentiroso e parasitário dos fariseus. Ele veio extirpar o ódio e reafirmar a lei do amor como ordenança central de Deus para seu povo.

Em seu célebre Sermão do Monte, Jesus contradiz abertamente o que os fariseus ensinavam: "Vocês ouviram o que foi dito: 'Ame o seu próximo' e odeie o seu inimigo. Eu, porém, lhes digo: amem os seus inimigos e orem por quem os persegue" (Mt 5.43-44).

O termo grego usado aqui é o amor *ágape*, ou seja, entrega total e incondicional ao outro. Os discípulos de Jesus deveriam ser conhecidos pelo amor, nunca pelo ódio. Odiar é o equivalente moral de assassinar, e por isso não há espaço para o ódio na vida cristã. Ao contrário, os seguidores de Jesus são desafiados a amar radicalmente.

O ódio é caracterizado na tradição cristã como uma das obras da natureza humana, ou seja, uma das evidências de que alguém não vive pelo Espírito de Deus. Gálatas 5.19-21 diz:

> Quando seguem os desejos da natureza humana, os resultados são extremamente claros: imoralidade sexual, impureza, sensualidade, idolatria, feitiçaria, hostilidade, discórdias, ciúmes, acessos de raiva, ambições egoístas, dissensões, divisões, inveja, bebedeiras, festanças desregradas e outros pecados semelhantes. Repito o que disse antes: quem pratica essas coisas não herdará o reino de Deus.

Em contrapartida, o fruto do Espírito é "amor, alegria, paz, paciência, amabilidade, bondade, fidelidade, mansidão e domínio próprio" (Gl 5.22-23).

Jesus desafia seus seguidores a amarem até mesmo os inimigos e perseguidores, estes entendidos, no contexto do Sermão do Monte, como os que perseguiam injustamente os discípulos: "Felizes os perseguidos por causa da justiça [...]. Felizes são vocês quando, por minha causa, sofrerem zombaria e perseguição, e quando outros, mentindo, disserem todo tipo de maldade a seu respeito" (Mt 5.10-11). Ou seja, Jesus nos ensina que mesmo diante da perseguição injusta não estamos autorizados a odiar ninguém, mas é nosso dever extremo amar.

Por que, afinal, deveríamos amar de modo tão extremo?

Em Mateus 5.44-45, Jesus reafirma e aprofunda o princípio de Levítico: amar é um ato não apenas de obediência a Deus, mas também uma evidência de nossa filiação divina. O mandamento de amar o inimigo guarda em si uma natureza supraética. Ou seja, é ético por se tratar de um comando prático, que orienta imperativamente a vida e o comportamento humano, mas é também supraético por ultrapassar, superar a ética pela doação irrestrita. A construção do comando "ame o seu inimigo" é pressuposta pela rendição da pessoa a Deus desde a primeira bem-aventurança, que marca o início do Sermão do Monte (Mt 5.3).

Jesus traz uma mensagem àqueles que foram amados por Deus e se renderam ao seu amor. Já que Deus os amou, apesar de pecadores, eles devem amar os demais, apesar das ofensas. O filósofo Paul Ricœur observou que esse mandamento é construído sob a fórmula "já que": "De acordo com essa fórmula — e pela força do 'já que' — a doação se revela fonte de obrigação".[2] Assim, Jesus estabelece uma *lógica de superabundância*, radicalmente oposta à *lógica da reciprocidade* que governa a ética cotidiana e que o cristão é chamado a vencer pelo amor.

Podemos destacar, assim, pelo menos três razões para um amor tão extremo. A primeira razão é que se trata de *uma marca dos filhos de Deus*. Ao amar até mesmo os inimigos e orar por quem nos persegue, evidenciamos que somos filhos do Pai celeste, e os filhos se caracterizam pelo amor, enquanto os que pertencem ao maligno, pelo ódio. A primeira carta de João trata basicamente desse tema (1Jo 3.11-12).

Os filhos de Deus amam porque Deus é amor (1Jo 4.7-8) e seu caráter, amoroso. Ele faz o sol brilhar não apenas sobre os bons, mas também sobre os maus; e faz a chuva cair não apenas sobre os justos, mas também sobre os injustos. O amor é paciente. Portanto, a exemplo de Deus, seus filhos devem ser misericordiosos. Romanos 5.10 diz que o próprio Deus nos amou quando ainda éramos seus inimigos. Ora, se o filho possui o DNA do pai, os filhos de Deus têm a marca característica de Deus: o amor. Ele nos amou primeiro, e como seus filhos devemos imitar sua conduta com naturalidade vivendo em amor (Ef 5.1-2).

A segunda razão para amar nossos inimigos e orar por quem nos persegue é que, ao fazê-lo, *testemunhamos do evangelho de Jesus perante a sociedade*. Jesus nos alertou: se amamos apenas quem nos ama, ou cumprimentamos apenas quem nos cumprimenta, não passamos de publicanos ou gentios. Os publicanos eram cobradores de impostos, com reputação de corruptos, enquanto os gentios eram, na concepção dos israelitas, os povos distantes de Deus. Em outras palavras, amar os amigos constitui uma atitude elementar, banal, quase automática, e Jesus espera muito mais de seus seguidores.

A terceira razão para amar nossos inimigos e orar por

quem nos persegue é que, ao fazê-lo, *evidenciamos uma marca de maturidade espiritual*. Jesus disse: "Portanto, sejam perfeitos, como perfeito é seu Pai celestial" (Mt 5.48). A palavra "perfeito" (*teleios*) significa inteiro, pleno, completo, maduro. Jesus está dizendo: "sejam inteiros como Deus é inteiro", "sejam plenos como Deus é pleno", "sejam completos como Deus é completo", "sejam maduros como Deus é maduro".

A vida cristã é um processo que só termina no encontro face a face com Deus, no último dia. Devemos desenvolver o caráter, cultivar a vida espiritual. Crescer na semelhança de Cristo é um ensinamento elementar da tradição cristã (Rm 8.29). Jesus é o nosso exemplo final. Como Filho unigênito de Deus, ele trilhou o caminho de amor que também devemos trilhar. Precisamos amadurecer nessa caminhada, crescer em amor, desenvolver a capacidade de amar e de orar. O apóstolo Paulo advertiu os cristãos tessalonicenses a amarem ainda mais (1Ts 4.9-10).

Cada seguidor de Jesus, cada filho e filha de Deus deve, portanto, crescer e amadurecer no amor. Aprender a equilibrá-lo em todas as áreas da vida é uma marca de maturidade (1Co 13.11). Em outras palavras, marca de maturidade é o equilíbrio da verdade e do amor: "Em vez disso, falaremos a verdade em amor, tornando-nos, em todos os aspectos, cada vez mais parecidos com Cristo, que é a cabeça" (Ef 4.15).

Muitas pessoas dizem, orgulhosas: "Eu falo mesmo! Comigo é assim!", mas essa atitude evidencia imaturidade espiritual. A verdade sem amor é ríspida, arrogante, vaidosa, insensível. Em contrapartida, de nada vale ser carinhoso, mas inconsistente com a verdade. A maturidade nos ensina a encontrar o equilíbrio (Pv 22.11). Não basta ser sincero, é preciso ser amável; mas não basta ser amável, é preciso ser sincero (Pv 27.14). Não se trata apenas do que dizer, mas também de como dizer, por que dizer, quando dizer. Devemos amadurecer no amor e caminhar para sermos completos, como Deus é completo.

O próprio Jesus viveu esse ensinamento na cruz. Depois de ser torturado e condenado à morte injustamente, Jesus foi ridicularizado (Mt 27.39-44). No entanto, diante daqueles que estavam no Calvário, lançando-lhe impropérios e zombarias, ele orou a Deus. Jesus cumpriu ao extremo o ensinamento de amar o inimigo e orar pelos perseguidores (Lc 23.34).

Anos mais tarde, a mesma oração foi realizada por Estêvão, seguidor de Jesus apedrejado pelas autoridades judaicas que não suportaram ouvir a pregação do evangelho: "Senhor, não os culpes por este pecado!" (At 7.60).

Essas três razões nos ensinam não só a derrotar o ódio, mas também nos impulsionam a outras práticas. Devemos *amar a família e os amigos*. Jesus explicitou o amor aos inimigos como uma das marcas dos filhos de Deus. Se esse é o padrão para os inimigos, que dizer do padrão para os amigos. De fato, as Escrituras declaram que "o verdadeiro amigo é mais próximo que um irmão" (Pv 18.24). O próprio Jesus afirmou: "Não existe amor maior do que dar a vida por seus amigos" (Jo 15.13).

Temos a responsabilidade de amar todas as pessoas, mas especialmente os irmãos (Gl 6.10). Paulo disse: "Aqueles que não cuidam dos seus, especialmente dos de sua própria família, negaram a fé e são piores que os descrentes" (1Tm 5.8). Quer dizer que, embora os cristãos sejam exortados a buscar o bem de todos, devem priorizar os familiares, os irmãos em Cristo, os amigos.

Também devemos *amar desinteressadamente*, combatendo a ganância e a instrumentalização dos relacionamentos.

Infelizmente, a sociedade está infestada de pessoas interesseiras. Os cristãos, porém, são orientados a não cair na armadilha de construir relacionamentos pautados apenas em critérios utilitaristas. Não devemos nos aproximar das pessoas como exploradores.

Jesus nos ensina a reestruturar os relacionamentos a partir do amor, da generosidade, da misericórdia (1Co 13.5). Ele não oferece uma razão mercantilista para amar o inimigo nem diz algo como: "Ame seus inimigos e serão prósperos". Na verdade, é mais provável que ocorra o contrário. O amor nos torna mais vulneráveis. Mas é justamente esse o caminho da semelhança com Deus. O reino de Deus tem uma lógica peculiar, diferenciada: "muitos últimos serão os primeiros" (Mt 19.30), "os que se exaltam serão humilhados, e os que se humilham serão exaltados" (Mt 23.12), "o menor entre vocês será o maior" (Lc 9.48), "há bênção maior em dar que em receber" (At 20.35).

As discípulas e os discípulos de Jesus compreendem que é através da humildade, e não do orgulho, que se deve viver. O apóstolo Paulo compreendeu que suas fraquezas e debilidades, na verdade, o fortaleciam, pois o levavam a confiar ainda mais em Deus: "quando sou fraco, então é que sou forte" (2Co 12.10). Devemos amar pelo simples fato de que esse ato é uma marca dos filhos de Deus, de todos aqueles que foram alcançados por sua graça. E a graça dele nos basta.

Mas ainda devemos *amar e orar*. Jesus mostra uma conexão entre o amor e a oração ao ensinar-nos a amar os inimigos e a orar por nossos perseguidores. As pessoas podem não gostar de você, podem falar mal de você pelas costas, podem não o suportar e até o amordaçar, mas não o podem impedir de orar em favor delas. A oração é nossa arma espiritual: "Pois nós não lutamos contra inimigos de carne e sangue, mas contra governantes e autoridades do mundo invisível, contra grandes poderes neste mundo de trevas e contra espíritos malignos nas esferas celestiais" (Ef 6.12).

A igreja tem a arma espiritual da oração. A igreja caminha de joelhos. A igreja, ou seja, os seguidores e seguidoras de Jesus, é convocada a orar: "Abençoem aqueles que os perseguem. Não os amaldiçoem, mas orem para que Deus os abençoe" (Rm 12.14).

É assim que o amor triunfa sobre o ódio, pois não vale a pena viver com rancor. De nada nos adianta alimentar o ódio. Como diz o provérbio: "É melhor ter verduras na refeição onde há amor, do que um boi gordo acompanhado de ódio" (Pv 15.17, NVI). A opulência permeada de ódio é inútil, é perda de tempo. No fim, o que vale é o amor. O amor nunca perde. Quando o império romano ruiu, os cidadãos "passaram de César, que pregava guerra, para Cristo, que pregava paz, da brutalidade inacreditável para a caridade sem precedentes, de uma vida sem esperança e dignidade para uma fé que consolava sua pobreza e honrava sua humanidade".[3]

Jesus não convocou cruzados, mas crucificados. Não fomos chamados para empunhar espadas, mas para carregar nossa cruz. Amor é benevolência, não violência. Jesus ensinou que o bem-aventurado não é o orgulhoso, mas o pobre em espírito; não é quem machuca, mas quem chora; não é o agressivo, mas o manso; não é o injusto, mas o faminto e o sedento de justiça; não é o impiedoso, mas o misericordioso; não é o soberbo manipulador, mas o puro de coração; não é o violento, mas o pacificador; não é o perseguidor, mas o perseguido por causa da justiça.

Por isso Jesus disse: "amem os seus inimigos e orem por quem os persegue".

3
Ame sem omissão

A parábola do bom samaritano

....

Certo dia, um especialista da lei se levantou para pôr Jesus à prova com esta pergunta: "Mestre, o que preciso fazer para herdar a vida eterna?". Jesus respondeu: "O que diz a lei de Moisés? Como você a entende?".

O homem respondeu: "'Ame o Senhor, seu Deus, de todo o seu coração, de toda a sua alma, de toda a sua força e de toda a sua mente' e 'Ame o seu próximo como a si mesmo'".

"Está correto!", disse Jesus. "Faça isso, e você viverá."

O homem, porém, querendo justificar suas ações, perguntou a Jesus: "E quem é o meu próximo?".

Jesus respondeu com uma história: "Certo homem descia de Jerusalém a Jericó, quando foi atacado por bandidos. Eles lhe tiraram as roupas, o espancaram e o deixaram quase morto à beira da estrada.

"Por acaso, descia por ali um sacerdote. Quando viu o homem caído, atravessou para o outro lado da estrada. Um levita fazia o mesmo caminho e viu o homem caído, mas também atravessou e passou longe.

"Então veio um samaritano e, ao ver o homem, teve compaixão dele. Foi até ele, tratou de seus ferimentos com óleo e vinho e os enfaixou. Depois, colocou o homem em seu jumento e o levou a uma hospedaria, onde cuidou dele. No dia seguinte, deu duas moedas de prata ao dono da hospedaria e disse:

'Cuide deste homem. Se você precisar gastar a mais com ele, eu lhe pagarei a diferença quando voltar'.

"Qual desses três você diria que foi o próximo do homem atacado pelos bandidos?", perguntou Jesus.

O especialista da lei respondeu: "Aquele que teve misericórdia dele".

Então Jesus disse: "Vá e faça o mesmo".

Lucas 10.25-37

....

Alguém esgotado pelas responsabilidades poderia dizer: "Se dependesse de mim, nada dependeria de mim". O problema é que o vício humano do egoísmo logo termina no "você para mim é problema seu". Jesus, porém, ensinou que o amor assume responsabilidades. Amar é ser responsável. Amar é não se omitir. E Jesus deixa isso claro logo na fase inicial de seu ministério com a inigualável parábola do bom samaritano. Ela apresenta uma ética de gentileza fraternal de que o mundo inteiro necessita desesperadamente. Aquele a quem posso ajudar a qualquer momento, um ser humano como eu, é meu próximo, independentemente de diferenças raciais, religiosas ou de posição social.

A parábola do bom samaritano narrada por Jesus no evangelho de Lucas impactou não apenas a comunidade cristã, mas toda a civilização. Existem inúmeros hospitais chamados "Bom Samaritano", assim como entidades beneficentes e filantrópicas. A parábola foi retratada nas artes por nomes como Rembrandt, Delacroix e Van Gogh. Hoje, em quase todos os códigos penais existe o crime de omissão de socorro. Se na época "a atitude do samaritano era uma manifestação de amor heroico, uma atitude considerada absolutamente utópica, irrealista, senão revolucionária, hoje é um delito".[1] É essencial lembrar, contudo, que a parábola faz parte de uma discussão teológica, caso contrário a narrativa pode ter seu propósito esvaziado e tornar-se apenas uma exortação ética para alcançar os necessitados.

A cena começa quando um perito na lei, isto é, um conhecedor dos textos sagrados, foi até Jesus não para fazer uma pergunta franca, mas tão somente para testá-lo. A questão levantada referia-se ao caminho da vida eterna. Jesus, sucinto, contra-argumentou: "O que diz a lei de Moisés? Como você a entende?".

Aquele homem respondeu com muita precisão. De fato, era um especialista da lei, citando os mandamentos do amor como a essência da vida: Deuteronômio 6.5 e Levítico 19.18, dois textos da Torá, de cuja relação direta ele interessantemente já demonstrava ter conhecimento.[2]

Jesus aprovou a resposta: "Está correto! Faça isso, e você viverá". Jesus não lhe diz o que fazer; ao contrário, o próprio doutor da lei o diz. Sua doutrina era perfeita. O próprio Jesus eleva os textos por ele citados à condição de grande mandamento e segundo mandamento. Contudo, embora esse especialista da lei tivesse a correta noção acerca das exigências de Deus sobre o amor, ele não as praticava. Demonstrou possuir uma boa ortodoxia, mas nenhuma ortopraxia. Ou seja, a doutrina estava correta, mas a conduta, errada. Todo conhecimento teológico de nada serve se o amor a Deus e ao próximo não determina a direção da vida. Sua omissão no quesito obediência ao amor o desmoralizou. Assim, embora sua intenção fosse testar Jesus, o jogo logo se inverteu.

Na defensiva, o especialista tentou justificar-se perguntando quem era seu próximo. Ele não tinha dúvidas sobre o

Deus a quem precisava amar, mas quem era esse "próximo" a quem ele precisava amar como a si mesmo? Em outras palavras, ele está perguntando: "Até onde sou obrigado a amar as pessoas?". Ele parece pedir uma definição, uma lista. No entanto, por ser perito na lei, deveria saber que Deus ordenou a seu povo que tivesse misericórdia de estrangeiros e inimigos (Êx 23.4,5; Lv 19.33-34).

Infelizmente, muitos israelitas negligenciavam a lei do amor. Muitos faziam questão de não entender o significado de "próximo". Joachim Jeremias afirma que naquele tempo "os fariseus se inclinavam a excluir os não fariseus; os essênios exigiam que se odiasse 'todos os filhos das trevas'; uma expressão rabínica ensinava que se lançassem (numa fossa) os heréticos, os denunciadores e os apóstatas para sempre, e uma máxima popular muito espalhada excetuava o inimigo pessoal do mandamento do amor".[3]

Mas é nesse ponto do relato de Lucas que Jesus narra a icônica parábola do bom samaritano, presente apenas nesse evangelho. Pelo menos duas passagens do Antigo Testamento guardam semelhanças com essa parábola. A primeira, em 2Crônicas 28.8-15, narra a história dos samaritanos compassivos, que auxiliaram os israelitas em uma situação desesperadora, alimentando-os e curando-os, e levando-os de volta a Jericó. A segunda, em Oseias 6.6, faz uma exposição da misericórdia, ou do amor, no contexto das práticas cultuais de Israel.

A narrativa de Jesus, contudo, apresenta características próprias, das quais podemos destacar três aspectos gerais.

1. *Trata-se de uma narrativa realista.* A brutalidade com a qual "certo homem" foi espancado, assaltado e abandonado corresponde às notícias das cidades contemporâneas. A cena contada por Jesus tem traços vívidos e valor atemporal, pois

retrata a violência que caracteriza as comunidades humanas ainda hoje. A parábola é tão realista que Warren W. Wiersbe chega a ressaltar que "Jesus não disse que essa história é uma parábola, de modo que é possível tratar-se do relato de um acontecimento real".[4]

2. *Trata-se de uma narrativa incômoda.* A lei do amor presente no livro de Levítico era direcionada a todo o Israel, mas a administração do culto religioso era atribuída aos sacerdotes e levitas. A parábola contada por Jesus é incômoda porque os dois transeuntes omissos eram figuras religiosas e, por sua negligência, ambos contribuíram para o prolongamento dos sofrimentos do homem ferido. Mas o incômodo não termina aí, uma vez que Jesus apresenta um samaritano como herói da história. Ele é a figura central, o agente, o principal personagem. Os evangelhos mostram claramente o atrito existente entre judeus e samaritanos (Jo 4.9). Os judeus — que viam os samaritanos como heréticos, bárbaros e pagãos — consideravam quase ofensivo o termo samaritano, por isso o usaram para insultar Jesus (Jo 8.48).

Talvez aquele perito na lei estivesse esperando que Jesus completasse o quadro com um israelita comum (nem sacerdote, nem levita). Aliás, era habitual no Antigo Testamento a menção à tríade sacerdote-levita-pessoa comum.[5] Mas Jesus introduziu um samaritano, quebrando a linha habitual de narrativa e atingindo um dos sentimentos de ódio mais profundo dos israelitas. O herói da narrativa é alguém desprezado pela cultura daqueles religiosos legalistas. A letargia espiritual daquele perito na lei é atacada rigorosamente: na parábola, os religiosos judeus são apresentados negativamente, e o samaritano, positivamente.

A parábola é um ataque incisivo aos preconceitos comunais e raciais. A falha da liderança judaica (sacerdotes e levitas) é ressaltada pelos atos de misericórdia realizados por um excluído. A aparição do samaritano em lugar de um leigo judeu é, portanto, incômoda. Esse tema da hostilidade racial realça "a ênfase que Jesus coloca no amor aos inimigos".[6]

3. *Trata-se de uma narrativa desafiadora.* A figura do samaritano estabelece para o especialista da lei um padrão desafiador de amor ao próximo. O sentimento de responsabilidade impediu aquele samaritano de seguir seu caminho sem antes socorrer o desconhecido. Ele *foi até ele*, utilizou seus bens em favor dele, deixou-o sob cuidados e prometeu voltar. Observe que há um crescimento na aproximação: o sacerdote apenas "descia por ali", o levita "fazia o mesmo caminho" e o samaritano "veio" a ele.

A atitude do samaritano foi completa: atou as feridas e as tratou com óleo, para aliviar, e vinho, para desinfetar. Como está registrado no livro do profeta Isaías, o óleo era usado terapeuticamente no cuidado de feridas (Is 1.6). É o samaritano quem derrama oferta aceitável a Deus, não o sacerdote, nem o levita.

Ele levou o homem até uma hospedaria. A palavra grega traduzida por "hospedaria" só aparece aqui em todo o Novo Testamento, e significa receber a todos. O samaritano pagou pelos cuidados do homem com duas moedas de prata, valor correspondente a dois dias de salário de um trabalhador.[7] Ou seja, o samaritano foi generoso. O amor ao próximo não é calculista nem mesquinho. Deve ser abundante. Essa é uma nota constante nos ensinamentos éticos de Jesus Cristo, talvez a mais constante (amar os inimigos, caminhar a segunda milha, dar a quem exigir sua capa e sua roupa do corpo).

O samaritano não apenas pagou pelos tratamentos daquele ferido, mas prometeu cobrir eventuais gastos adicionais. Sua promessa tinha valor, suas palavras eram revestidas de credibilidade. Mostra um relacionamento de confiança mútua entre o samaritano e o dono da hospedaria.

Na parábola, Jesus não responde ao questionamento "quem é meu próximo?". Em vez disso, inverte a pergunta: você é próximo de quem? O perito na lei tentou escapar de suas obrigações, mas Jesus colocou-o em xeque: "Qual desses três você diria que foi o próximo do homem atacado pelos bandidos?". Ele foi desafiado por Cristo a unir duas palavras que pareciam contraditórias, mas que se referiam à mesma pessoa: *samaritano* e *próximo*. Jesus não apenas aniquilou a limitação com relação a quem é o próximo, como também inverteu a lógica, pois o que realmente importa não é "quem é meu próximo?", mas "de quem eu me tornarei próximo?".

Enquanto o escriba questiona quem ele deveria ajudar, Jesus mostra que a pergunta correta é: "Eu me comporto como um próximo?". Sou uma pessoa que ajuda os outros? A quem estou amando? A quem estou demonstrando misericórdia? Enquanto o perito na lei perguntou acerca do objeto do amor (a quem devo tratar como um próximo?), Jesus perguntou sobre o sujeito do amor (quem agiu como próximo?). Enquanto o perito na lei pensa a partir de si ao questionar o limite do seu dever, Jesus o incita a raciocinar a partir daquele que sofre a necessidade, colocando-se no lugar daquele que espera seu amor e auxílio.

Jesus Cristo não apresenta uma lista estática, fria, morta, mas um conceito vivo e dinâmico de próximo: qualquer pessoa que se encontre em necessidade, mesmo um desconhecido. Enquanto o perito na lei quer uma resposta teórica para o que precisa fazer, Jesus questiona o que realmente importa: que tipo de pessoa você é?

A incapacidade de cumprir a lei do amor não é fruto da falta de informação, mas da falta de amor. Aquele doutor da lei não precisava de novos conhecimentos, mas de uma nova atitude. Não faltavam conceitos; faltava amor. O diálogo termina com um xeque-mate de Jesus. Diante da resposta do perito ("aquele que teve misericórdia dele"), Jesus lhe diz: "Vá e faça o mesmo".

Esse relato bíblico encerra com uma lição fundamental: *amar é assumir responsabilidades*. A parábola do bom samaritano é uma denúncia contra qualquer tipo de religiosidade declaratória e anêmica de ações. É uma explícita história-exemplo. Por isso, Jesus consentiu a resposta do especialista da lei e ainda o reencaminhou à vida: "Vá e faça o mesmo".

A ação do samaritano revela que ele assumiu responsabilidades ao identificar a necessidade daquele desconhecido, compadecer-se dele e agir; diferentemente do sacerdote e do levita, figuras religiosas de quem se poderia esperar alguma compaixão e ação prática em socorro do ferido.

Jesus combateu o erro de professar uma fé teórica. Nos evangelhos, condenou tanto o ativismo vazio dos performáticos religiosos como os conhecedores de teologia covardemente omissos. Trata-se de um erro primário pensar que a fé cristã é uma religião preocupada somente com o que cremos e pensamos, e não com o que somos. Um aspecto não anula o outro, ambos são importantes. Não podemos dissociar o pensar do agir, e vice-versa; devemos integrar tudo no ser. Nossa identidade é ser-pensar-agir: "Não se limitem, porém, a ouvir a palavra; ponham-na em prática. Do contrário, só enganarão a si mesmos" (Tg 1.22). "Se alguém tem recursos suficientes para viver bem e vê um irmão em necessidade, mas não mostra compaixão, como pode estar nele o amor de Deus? Filhinhos, não nos limitemos a dizer que amamos uns aos outros; demonstremos a verdade por meio de nossas ações" (1Jo 3.17-18).

Pecado não se resume a fazer o que é proibido, mas também significa deixar de fazer o que Deus ordena. Nossa omissão é frontalmente condenada na Bíblia (1Jo 3.4; Tg 4.17). Por isso, devemos assumir nossas responsabilidades de amor, levar a sério o que Jesus verdadeiramente declarou a respeito de nosso estilo de vida, de amor aos inimigos, de auxílio aos pobres e sofredores. O objetivo da parábola é mostrar a natureza do verdadeiro amor fraternal.[8]

A misericórdia é, portanto, uma exigência para os discípulos do reino e o princípio-chave da parábola, devendo ser praticada e demonstrada. Como afirmou o teólogo Rainerson Israel:

> Amar a Deus sem amar o próximo é a porta de entrada para o jugo dos antigos rabinos. Uma fé divorciada das obras é como um corpo sem espírito. A religiosidade fria dos antigos intérpretes da Lei excluía e menosprezava os mais fracos. Os levitas e sacerdotes, por exemplo, [...] passavam ao largo dos moribundos no caminho. Jesus anuncia o 'bom samaritano' como paradigma da missão.[9]

Com isso em mente, vejamos sete aplicações práticas a serem desenvolvidas com sabedoria:

1. *Ame pessoas reais*. O "próximo" não é um ente vago, etéreo, abstrato. É alguém real, com necessidades concretas. A "próxima" é uma mulher de carne e osso que sofre múltiplas formas de violência. Falar sobre "próximos" inexistentes e teóricos é cômodo e, ao mesmo tempo, inútil e perverso. Existem inúmeras pessoas que vociferam contra tudo, sem propor nada, sem amar pessoas reais, sem importar-se de fato com

alguém que não elas próprias. Há os que, como o especialista da lei da parábola, se escondem em cipoais de ideias, conversas obscuras sem nenhum significado, desconsiderando o fato de que o amor não é uma série de conjecturas levianas. Jesus tornou a conversa objetiva, simples e prática: concluiu-a direcionando o especialista da lei para o mundo real. Amor não é hipótese, mas conhecimento que extravasa em ação.

2. *Abandone as falsas perguntas*. Eclesiastes 3 nos ensina que há tempo para todo bom propósito debaixo do céu. Há tempo de falar. Há tempo de calar. Também podemos pensar que existem tempos de questionar e tempos de responder. Algumas pessoas infelizmente se tornam cínicas como esse especialista da lei, que só fazia perguntas por razões perversas: a primeira tencionava testar Jesus, a segunda, justificar-se. Não é errado perguntar, mas é errado perguntar com motivações pecaminosas.

É preciso abandonar a covardia, as perguntas ardilosas e abraçar a prática do amor ao próximo, do amor mútuo (1Pe 1.22). Um discípulo amoroso de Jesus não se deixa levar pelo jogo astucioso, mas livra-se de toda maldade, de todo engano e de toda hipocrisia (1Pe 2.1).

3. *Corra riscos misericordiosos*. Toda tentativa de amar envolve certo risco. Ser misericordioso envolve riscos. Amar é arriscar. O samaritano ajudou um completo desconhecido. Jesus não descreve quem é o homem assaltado, diz apenas "certo homem". E se fosse uma emboscada? E se aquele ferido fosse um ladrão, um assassino? E se o homem ajudado fosse ingrato? Como aquele homem reagiria ao recobrar completamente a consciência? Ele não sabia que estava sendo cuidado pelo samaritano.

Jesus ensinou um princípio de ética humanitária: o próximo pode ser uma pessoa inteiramente desconhecida. O próximo pode ser de outra nação, de outra religião, com outra opinião política, outro gosto estético, mas é um ser humano, uma pessoa de carne e osso. É a necessidade do próximo, e não suas características, que importa. Para o samaritano havia ali um ser humano em dificuldades, precisando de sua compaixão, e ele a exercitou, assumindo todos os riscos. E Jesus disse: "Vá e faça o mesmo".

4. *Seja sensível aos sofredores*. O sofredor não é uma pessoa atraente. O homem da parábola estava sujo de sangue e sem roupas. Alguém exposto, vulnerável, necessitado. A expressão grega utilizada no texto para referir-se ao ato de tirar-lhe as roupas é a mesma utilizada em Mateus 27.28 para descrever o assalto às roupas de Jesus no caminho da cruz. O samaritano teve misericórdia do homem abandonado.

A experiência revela que a maioria das pessoas deseja estar próxima dos famosos, dos conhecidos, daqueles que possam trazer-lhes algum benefício. Jesus, ao contrário, ensina a olhar para os feridos que se encontram no caminho. Devemos ser sensíveis às pessoas em geral, mas especialmente aos vulneráveis e violentados. Basta conferir o exemplo do próprio Jesus, que se voltou aos pobres e desprezados (Lc 14.12-14), aos desamparados (Mc 9.37) e aos pequenos (Mt 18.10). Foi o próprio Jesus quem se identificou com os sofredores (Mt 25.35-36,40).

5. *Seja célere em situações extremas*. A insensibilidade e a falta de amor nos tornam lentos. O samaritano percebeu rapidamente a situação crítica daquele homem e agiu. Dirigiu-se àquele sujeito desfigurado e fez os primeiros socorros: enfaixou as feridas, derramou vinho e óleo. Assumiu literalmente o papel dos atuais paramédicos de atendimento emergencial. O amor nos capacita com o devido senso de urgência diante de emergências.

Algumas pessoas demoram a se dar conta das graves dificuldades pelas quais passa alguém a seu lado. O egoísmo torna o ser humano mesquinho, diminui ou mesmo anula sua percepção e sensibilidade. Em contrapartida, o amor nos deixa mais ágeis, aptos a cooperar, a exercitar a misericórdia. O samaritano agiu rápido, mesmo sem estar em seu território.

6. *Não justifique o seu erro com o erro dos outros*. Não importa se os outros são insensíveis: você não precisa ser. O sacerdote ou levita prestarão contas a Deus por sua falta de amor. O samaritano cumpriu seu dever, em primeiro lugar. Isso é o que importa. E Jesus ordenou: "Vá e faça o mesmo". Wiersbe sintetizou isso de um modo inesquecível: "Tudo depende da maneira de encarar a situação. Para os ladrões, o viajante judeu era uma vítima a ser explorada, de modo que o atacaram. Para o sacerdote e o levita, era um incômodo a ser evitado, de modo que o ignoraram. Mas para o samaritano, era alguém necessitando de amor e de ajuda, de modo que cuidou dele".[10]

7. *Ame no anonimato e demonstre seu caráter*. Na fé cristã, amor não é trivialidade, mas uma responsabilidade espiritual e prática. Prestaremos contas a Deus não apenas de nossas palavras e pensamentos, mas também de ações e omissões: "Pois todos nós teremos de comparecer diante do tribunal de Cristo, para que cada um receba o que merecer pelo bem ou pelo mal que tiver feito neste corpo terreno" (2Co 5.10).

O cristão é, portanto, convocado a amar a Deus, não apenas porque será punido ou recompensado, mas porque o amor diz respeito ao caráter do cristão, não a uma performance religiosa. O cristão ama seu próximo porque foi transformado pelo amor de Deus, e esse amor se tornou marca de seu caráter.

Chegamos então à pergunta final de Jesus: "Qual desses três você diria que se tornou o próximo do homem atacado por bandidos?". A implicação é muito simples: o amor nos transforma. Deixamos de ser pessoas distantes e nos tornamos pessoas próximas de outras. Como o samaritano, que teve compaixão e agiu em favor do homem espancado.

Essa parábola é incômoda. Ela não permite que fechemos os olhos.

4
Ame sem ganância

Jesus e o jovem rico

....

Um homem veio a Jesus com a seguinte pergunta: "Mestre, que boas ações devo fazer para obter a vida eterna?".

"Por que você me pergunta sobre o que é bom?", perguntou Jesus. "Há somente um que é bom. Se você deseja entrar na vida eterna, guarde os mandamentos."

"Quais?", perguntou o homem. Jesus respondeu: "Não mate. Não cometa adultério. Não roube. Não dê falso testemunho. Honre seu pai e sua mãe. Ame o seu próximo como a si mesmo".

"Tenho obedecido a todos esses mandamentos", disse o homem. "O que mais devo fazer?"

Jesus respondeu: "Se você quer ser perfeito, vá, venda todos os seus bens e dê o dinheiro aos pobres. Então você terá um tesouro no céu. Depois, venha e siga-me".

Quando o rapaz ouviu isso, foi embora triste, porque tinha muitos bens.

MATEUS 19.16-22

....

Amar a Deus e o próximo era dever do povo de Israel. Mas havia obstáculos. Ao reafirmar no Sermão do Monte a importância do mandamento de amar o próximo, Jesus afastou o obstáculo *ódio*. A parábola do bom samaritano esclarece o significado de "próximo" e afasta um segundo obstáculo: a *omissão*. Agora, numa referência à citação de Levítico 19.18, Jesus expõe, na parábola do jovem rico, o terceiro obstáculo para a prática do amor a Deus e ao próximo: a *ganância desenfreada*.

A história apresenta um jovem que, apesar de rico, estava aflito com seu horizonte existencial. Mesmo com toda a segurança que suas posses lhe ofereciam, o jovem olhava para o futuro com temor, como algo ameaçador. Esse episódio traz pelo menos três alertas sobre as riquezas terrenas. O primeiro deles é que *riqueza não é sinônimo de satisfação*. O jovem que se aproximou de Jesus era "de alta posição" (Lc 18.18), rico, poderoso. Ele perguntou a Jesus: "Mestre, que boas ações devo fazer para obter a vida eterna?". Apesar de rico, ele se sentia incomodado. Inequivocamente, a riqueza por si só é incapaz de satisfazer o ser humano: "Quem ama o dinheiro nunca terá o suficiente. Quem ama a riqueza nunca se satisfará com o que ganha" (Ec 5.10).

O segundo alerta é que *riqueza favorece a ilusão de poder*. Quem está em posição de comando é alvo de afagos e bajulações. Como Provérbios 19.6 ensina: "Muitos buscam o favor de quem governa; todos querem ser amigos daquele que dá presentes". O detentor de riquezas pode acabar perdendo o senso de realidade e crer nas adulações recebidas. É mais fácil iludir-se quando se está em posição de prestígio. Aquele jovem rico se achava capaz de conquistar tudo, até mesmo a vida eterna, daí sua pergunta. Mas Jesus o repreende por sua prepotência e o incita a obedecer aos mandamentos.

"A repentina mudança na narrativa acontece depois que o jovem alega guardar todos esses mandamentos, mas ainda sente que lhe falta algo."[1] É nesse momento que Jesus o desmascara completamente, sugerindo-lhe que vendesse os bens, desse o dinheiro aos pobres, a fim de juntar um tesouro nos céus, e então o seguisse. Mas, assim como o especialista da lei na parábola do bom samaritano, o jovem rico alarmou-se com a inesperada virada de rumo da conversa.

O terceiro e último alerta é que *riqueza engessa a tomada de decisões*. Diante do desafio extremo, o jovem afasta-se, triste, porque tinha muitas riquezas. Jesus então diz aos discípulos: "Eu lhes digo a verdade: é muito difícil um rico entrar no reino dos céus" (Mt 19.23). As riquezas engessam a tomada de decisões a ponto de escravizar seus detentores. O jovem não enxergava outra saída além de suas posses. Era escravo delas. Eclesiastes 5.12 diz que "as muitas riquezas [...] não deixam o rico dormir".

É importante ressaltar que a tradição cristã afirma claramente que o problema da riqueza não reside nela própria, mas no coração do homem, isto é, em sua condição mais fundamental. O homem foi criado bom por Deus, mas pecou, isto é, rebelou-se contra seu próprio Criador. Desde então, a pecaminosidade tornou-se marca de todos os seres humanos: nascemos com a natureza escravizada ao pecado, inclinados a fazer o mal.[2] Assim, na antropologia cristã, o ser humano é ambíguo, pois é capaz de fazer coisas boas por ser criado à imagem e semelhança de Deus, mas também capaz de fazer coisas más por ter uma natureza corrompida pelo pecado.

Jesus disse que tanto o "roubo" quanto a "cobiça" saem de dentro do "coração" (Mc 7.20-22). Não é a riqueza ou falta dela o maior problema, mas a impureza do coração humano. John Stott apresenta quatro lições importantes nesse texto: (1) o alcance universal da maldade humana: o coração de todos os seres humanos é corrompido; (2) a natureza egocêntrica da maldade humana: os treze exemplos de maldade em Marcos

7.21-22 são uma afirmação do ego, seja contra o próximo, seja contra Deus; (3) a interioridade da maldade humana: sua fonte se encontra não em um ambiente ruim, mas em nossa própria natureza; (4) o efeito contaminador da maldade humana: todos os males vêm de dentro e contaminam o homem; para Jesus a contaminação é algo moral.[3]

O coração dominado pela cobiça transforma o dinheiro em seu próprio deus, mestre e senhor. Jesus ensinou no Sermão do Monte que "ninguém pode servir a dois senhores, pois odiará um e amará o outro; será dedicado a um e desprezará o outro. Vocês não podem servir a Deus e ao dinheiro" (Mt 6.24). Trata-se de um trecho peculiar. Embora o evangelho de Mateus tenha sido escrito em grego, Jesus usa uma palavra em aramaico, *mamon*, que significa "dinheiro". Jesus diz que não se pode servir simultaneamente a Deus e ao Dinheiro (*mamon*). Ou seja, a atração das riquezas é tal que pode até rivalizar com sua vontade de servir a Deus, como ocorreu com o jovem nessa narrativa. Ele era súdito da riqueza.

Os cristãos creem que Jesus Cristo veio ao mundo para libertar a humanidade do pecado, para redimi-la da escravidão a qualquer vontade que não seja a vontade do próprio Deus. "Redimir" significa "comprar de volta". E Jesus veio nos arrancar do cativeiro de todos os ídolos, incluindo *mamon*.

Um choque de realidade ocorre quando reconhecemos nossa própria maldade. Jesus não ofereceu ao jovem nenhum falso alívio; pelo contrário, confrontou-o diante da verdadeira fonte do seu incômodo: o próprio pecado. Mas aquele jovem era orgulhoso e incapaz de perceber a própria pecaminosidade, os próprios erros. É preciso reconhecer o pecado pessoal para compreender a verdade da salvação. Não se pode vir a Jesus Cristo pedindo salvação tão somente com base em carências psicológicas, ansiedade, falta de paz, sensação de desespero, falta de alegria ou desejo de ser feliz.[4]

Na fé cristã a salvação não é mero fenômeno psicológico. O evangelho não se apresenta como uma solução rápida para as carências emocionais. "As boas-novas revelam como Deus nos declara justos diante dele, o que, do começo ao fim, é algo que se dá pela fé. Como dizem as Escrituras: 'O justo viverá pela fé'" (Rm 1.17). O evangelho é a resposta misericordiosa de Deus ao pecado humano. Portanto, a boa notícia (salvação mediante a fé em Cristo Jesus) pressupõe teologicamente a má notícia: estamos perdidos. A salvação parte da constatação de que não há nenhum justo, nem um sequer (Rm 3.10; Sl 14.1).

O problema daquele jovem é que ele não se considerava perdido ou errado, nem achava que tivesse algum dever diante de Deus, pois chegou a dizer que a tudo havia obedecido e só queria saber o que lhe faltava. Seja por uma visão muito míope da santidade de Deus, seja por uma visão magnânima de si mesmo, seja por ambas, o fato é que ele se considerava justo diante de Deus. Para ele, ter a vida eterna era apenas mais um detalhe na vida — e um detalhe que poderia ser adquirido por esforço próprio.

No entanto, essa religião da autojustiça e do conforto como fim em si mesmo é frontalmente condenada pela fé cristã. A salvação não é para aqueles que desejam melhorar suas condições emocionais, mas para pecadores que vêm a Deus em busca de perdão.[5] O propósito do reino de Deus não é ser um benefício a mais em uma vida confortável. O reino é tudo para o indivíduo, ou não é mais o reino.[6] Por isso, Jesus desmontou o ímpeto do jovem ao dizer: "Se você quer ser perfeito, vá, venda todos os seus bens e dê o dinheiro aos pobres. Então você terá um tesouro no céu. Depois, venha e siga-me" (Mt 19.21).

Observe que Jesus não disse ao jovem apenas "siga-me", mas "vá, venda todos os seus bens e dê o dinheiro aos pobres". O jovem não deveria seguir Jesus daquele ponto em diante, mas teria de cumprir, primeiro, uma tarefa: desfazer-se de suas riquezas em benefício dos pobres. Se quisesse ser perfeito, deveria renunciar a tudo. Desse modo, Jesus expôs o que realmente estava em jogo para o jovem: a lealdade às riquezas ou a lealdade a Jesus. Revelou o verdadeiro estado de sua alma. Sua lealdade às próprias riquezas representa, em última instância, lealdade a si mesmo.

O servo das riquezas é controlado pela própria ganância, é escravo dos próprios apetites autodestrutivos. Como não estava disposto a obedecer à primeira parte da instrução, o jovem não conseguiria obedecer à segunda: "Depois, venha e siga-me". Por isso o texto diz que o jovem "foi embora triste, porque tinha muitos bens" (Mt 19.22). O relato termina de modo lamentável, como a vida de muitas pessoas, que embora sejam até mesmo bem-intencionadas, bem-sucedidas, benquistas, não são bem-aventuradas. Julgam-se boas, mas permanecem fechadas em si mesmas, apegadas às riquezas terrenas e sem disposição de ajudar os pobres. Não seguem os passos de Jesus na estrada para Jerusalém.

É notável que Jesus mencione nesse contexto o comando "ame o seu próximo como a si mesmo" de Levítico 19.18. O amor pelas riquezas é um obstáculo para a prática do amor ao próximo. Contudo, nesse trecho do evangelho existem aplicações práticas que podem ajudar aquele que deseja amar a Deus e o próximo com mais liberdade:

1. *Amplie sua percepção da vida em amor*. Jesus nos ensina a refletir em todas as dimensões da vida. Não bastam tesouros na terra; é preciso entesourar no céu. Não basta pensar apenas

na própria salvação; é preciso pensar nas necessidades alheias, especialmente as dos pobres. Não basta preocupar-se apenas com a vida futura; é preciso preocupar-se com os que sofrem na vida presente. Não basta deixar de causar danos ao próximo; é preciso amar ativamente o próximo, repartir riquezas, praticar a solidariedade.

A vida não se resume ao ciclo trabalhar para comer e comer para trabalhar. É muito mais que um ciclo repetitivo e enfadonho com o objetivo de adquirir riquezas. Os seres humanos possuem anseios mais amplos e profundos que a obtenção de riquezas, e apresentam capacidades que vão além da obtenção de riquezas. "A vida não nos é dada para ganhar dinheiro, para ter êxito ou para conseguir bem-estar pessoal, mas para tornar-nos irmãos."[7]

Não podemos cair na ilusão amarga de depositar nossa esperança de salvação no trabalho e em seus resultados, pois esse intento está fadado a naufragar desde o primeiro instante (Pv 23.4-5). Quem reduz a vida a ser reconhecido e admirado pela quantidade de riquezas acumuladas logo perde a alegria de viver e cai no abismo da depressão. O dinheiro se torna gradualmente a única coisa importante, suprimindo o descanso, a ética, as amizades, a família, o amor. O jovem rico se afastou de Jesus, triste. Suas propriedades o empobreceram. A riqueza roubou-lhe a liberdade, a generosidade e, consequentemente, a possibilidade de uma vida mais humana. Ele não possuía sua fortuna, mas sua fortuna o possuía. Havia muita riqueza na casa, mas pobreza na alma (Lc 12.15).

2. *Compartilhe suas riquezas com sabedoria.* Todos os cristãos devem, então, dar aos pobres tudo que possuem? Não. O desafio que Jesus colocou especificamente diante do jovem rico não é uma norma de conduta necessária a todos os cristãos.

Contudo, o evangelho é claro ao afirmar que todo cristão genuíno *deve estar pronto* a abandonar tudo, revelando que nada é mais importante que o Senhor (Lc 14.33).

O que caracteriza os discípulos de Jesus é sua disposição para obedecer-lhe. O discípulo é alguém comprometido, empenhado definitiva e radicalmente com a pessoa de Jesus Cristo, sem que nada concorra com ele em importância. Quando Jesus chamou os primeiros seguidores, eles "deixaram suas redes e o seguiram" (Mt 4.20). O discipulado exige seguir adiante com Cristo, sem voltar atrás (Mt 8.21-22), é um convite à entrega total (Mt 16.24-26). Portanto, o cristão não se compreende como proprietário último de nada, mas apenas como mordomo. Deus é o dono de tudo (Sl 24.1).

Jesus convidou o jovem a orientar sua vida por uma lógica nova: não viver agarrado às posses, mas servir aos pobres e seguir o caminho do reino de Deus. E o reino de Deus está onde sua vontade é feita, onde lhe obedecem. Desse modo, todo cristão deve ser um bom mordomo de suas riquezas. O desafio não é desprezar o dinheiro, mas compreender seu verdadeiro valor.

Nas Escrituras, o cristão é orientado a:

- Não ser preguiçoso (2Ts 3.10; Tt 3.14).
- Não viver ocioso nem se intrometer na vida alheia, mas ser trabalhador e produtivo, ganhando dinheiro de modo lícito (2Ts 3.11-12).
- Esforçar-se no trabalho para ter boa reputação e não depender de ninguém (1Ts 4.11-12).
- Cuidar das necessidades materiais da própria família (1Tm 5.8);

- Cuidar das necessidades materiais dos irmãos carentes (Gl 6.10).
- Não furtar, mas trabalhar, ajudar os necessitados e repartir com eles as riquezas (Ef 4.28; 1Jo 3.17; Hb 13.16).
- Colocar suas diferentes formas de riqueza a serviço de Deus, para a glória dele (1Pe 4.10-11).
- Amadurecer espiritualmente e administrar o dinheiro com equilíbrio (1Tm 6.6-10).

Evidentemente, em mais de dois mil anos de tradição cristã, há muitos exemplos de pessoas que levaram a renúncia das riquezas terrenas ao extremo. Pessoas que viveram profundamente o ideal cristão de ajuda aos pobres em nome de Jesus.

3. *Jamais esqueça que Jesus se identificou com os pobres.* Desde o Antigo Testamento, as Escrituras revelam que Deus se identifica com os pobres (Pv 14.31; 17.5). Essa identificação alcançou o apogeu no Novo Testamento, com a encarnação do Filho de Deus, Jesus Cristo. O próprio Jesus identificou-se explicitamente com os sofredores: "Pois tive fome e vocês me deram de comer. Tive sede e me deram de beber. Era estrangeiro e me convidaram para a sua casa. Estava nu e me vestiram. Estava doente e cuidaram de mim. Estava na prisão e me visitaram. [...] Eu lhes digo a verdade: quando fizeram isso ao menor destes meus irmãos, foi a mim que o fizeram" (Mt 25.35-36,40; ver 2Co 8.9).

> A finalidade de Jesus ao se fazer pobre não foi a pobreza em si mesma [...]. Deus não fez cair do céu para nós a salvação como uma esmola qualquer, como algo supérfluo e com objetivo filantrópico. Não é assim o amor de Cristo! Quando Jesus desce às águas do Jordão e pede a João Batista que o batize, não o faz porque tem necessidade de penitência, de conversão; mas para

colocar-se no meio do povo necessitado de perdão, de nós, pecadores, e carregar o peso dos nossos pecados.[8]

Já vimos que a fonte do sofrimento é o pecado. Por isso, embora as riquezas tenham uma finalidade na vida terrena, não podem perdoar pecados. Simples assim: a riqueza é insuficiente porque não redime o ser humano. Somente em Jesus Cristo há salvação, pois somente ele pode expiar nossos pecados. Ao morrer na cruz, Jesus nos libertou não apenas dos efeitos do pecado — a separação de Deus e a morte eterna — como também do poder do pecado sobre nossa vida terrena. Por isso, em Cristo Jesus, podemos viver livres da ganância, da inveja, da cobiça desenfreada, que nos levam a todo tipo de exploração e delitos.

Com Jesus somos transformados, de modo a cada vez mais parecer-nos com ele. E Jesus era amoroso, atencioso, respeitoso. Precisamos seguir os passos de Jesus e nos compadecer dos pobres, orar para que nossa vida "seja quebrantada pelas coisas que quebrantam o coração de Deus".[9] O fator decisivo para ajudarmos os sofredores é a própria vontade de Deus. Não é a miséria em si que faz o cristão reagir, mas o fato de ser uma testemunha de Jesus. Sua motivação suprema é glorificar a Deus: "Em tudo que fizerem, trabalhem de bom ânimo, como se fosse para o Senhor, e não para os homens. Lembrem-se de que o Senhor lhes dará uma herança como recompensa e de que o Senhor a quem servem é Cristo" (Cl 3.23-24).

Essas três práticas nos conduzem a Jesus, ao caminho amoroso que ele empreendeu rumo à cruz.

Aquele jovem rico desprezou o amor que Jesus lhe oferecia (Mc 10.21). Sua ganância ainda o dominava. E, porque tinha muitas riquezas, o jovem se afastou triste. Ele foi amado por Jesus, mas não correspondeu a seu amor. Virou-lhe as costas, optando por manter a tristeza em detrimento da obediência a Cristo.

Seguir Jesus pressupõe obediência. Bons sentimentos e boas intenções não representam o evangelho ou a presença de Deus na vida de uma pessoa. Nada disso é conversão. "É bom ter sentimentos. Mas é muito melhor converter-se."[10]

5
Ame a Deus, ame o próximo
O significado dos maiores mandamentos de Jesus

....

Sabendo os fariseus que Jesus tinha calado os saduceus com essa resposta, reuniram-se novamente para interrogá-lo. Um deles, especialista na lei, tentou apanhá-lo numa armadilha com a seguinte pergunta: "Mestre, qual é o mandamento mais importante da lei de Moisés?".

Jesus respondeu: "'Ame o Senhor, seu Deus, de todo o seu coração, de toda a sua alma e de toda a sua mente'. Este é o primeiro e o maior mandamento. O segundo é igualmente importante: 'Ame o seu próximo como a si mesmo'. Toda a lei e todas as exigências dos profetas se baseiam nesses dois mandamentos".

Mateus 22.34-40

....

Deus é amor: amor é objeto e sujeito do mandamento. Assim, quando Deus diz: "Ama-me!", é o próprio amor que se autorrecomenda. Em outras palavras, "é um mandamento que contém as condições da sua própria obediência pela ternura da sua instância: ama-me!".[1] Amor e justiça, eu e o outro podemos nos unir em amor, porque Deus nos amou primeiro e entregou seu Filho para morrer em nosso lugar. Deus agiu, e removeu a separação que havia entre ele e a humanidade. O Deus santo e amoroso nos convida em amor: "Ama-me!".

Jesus ensinou e demonstrou que o amor é o maior mandamento, conforme mostram os evangelhos de Mateus e de Marcos. Existem poucas diferenças entre os dois relatos. Neste capítulo, focaremos o *significado* dos maiores mandamentos de Jesus com base no texto de Mateus.

Jesus chegou a Jerusalém com muita popularidade. Era época da Páscoa, a festa em que os israelitas comemoravam a libertação da escravidão do Egito, e a cidade estava lotada de peregrinos. "Quando Jesus entrou em Jerusalém, toda a cidade estava em grande alvoroço. 'Quem é este?', perguntavam. A multidão respondia: 'É Jesus, o profeta de Nazaré, da Galileia'" (Mt 21.10-11). Diante da agitação das multidões, vários grupos religiosos, entre os quais os fariseus e os saduceus, disputavam entre si poder e destaque. A rivalidade entre essas duas facções religiosas era intensa. Como Jesus entrou em Jerusalém triunfalmente, entusiasmando o povo, os líderes de ambas as seitas se encheram de inveja e deram início às tentativas de minar a credibilidade de Jesus.

Os saduceus foram os primeiros a atacar Jesus, mas suas perguntas ardilosas foram completamente desmontadas com as respostas de Cristo. Os fariseus, que talvez tenham comemorado a derrota dos saduceus, ficaram em contrapartida irritados com o fortalecimento da notoriedade de Jesus. Por isso, ao ouvirem que Jesus deixara os saduceus sem resposta, eles se reuniram. A estratégia elaborada era simples: alvejar a teologia de Jesus para desacreditá-lo. Subestimando o conhecimento e o preparo de Jesus, esperavam arruinar sua popularidade com uma questão: qual é o maior mandamento da lei?

Embora houvesse um grande número de mandamentos na lei israelita, Jesus foi direto: o primeiro mandamento é "Ame o Senhor, seu Deus, de todo o seu coração, de toda a sua alma e de toda a sua força" (Dt 6.5), e o segundo, "ame o seu próximo como a si mesmo" (Lv 19.18). Com isso, Jesus confirmou uma percepção já presente entre os especialistas na lei, como demonstrado na parábola do bom samaritano, em Lucas.

Diferentemente da resposta fornecida por Jesus ao perito na lei no evangelho de Lucas, nesta os grandes mandamentos são mencionados separadamente. Enquanto em Lucas Jesus alude aos dois mandamentos sem identificações próprias, em Mateus ele fala do primeiro e maior mandamento, e depois do segundo. De acordo com Jesus, portanto, o mandamento do amor a Deus é anterior e superior ao mandamento do amor ao próximo. Ambos estão profundamente conectados, mas não se confundem. Existe um *primeiro*, e depois um *segundo* mandamento.

O primeiro mandamento continua no segundo. Embora a questão tivesse sido colocada no singular: "qual é o mandamento mais importante?", a resposta de Jesus veio no plural. Mesmo sem ser consultado sobre qual seria o próximo mandamento, Jesus ampliou a resposta ao indicar que o maior mandamento, *amar a Deus*, tem uma relação muito estreita com o segundo mandamento, *amar o próximo*. O segundo nasce do primeiro. Assemelha-se ao primeiro, como um filho assemelha-se ao pai. Os mandamentos são contíguos: devemos amar o próximo como Deus nos amou. O amor a Deus promove o amor ao próximo. O primeiro mandamento nos aproxima de Deus, o segundo, nos assemelha a Deus. Os dois mandamentos sustentam todas as Escrituras.

Outra diferença é a impressionante afirmação de Jesus de que "toda a lei e todas as exigências dos profetas se baseiam nesses dois mandamentos" (Mt 22.40). A expressão grega para "baseiam" é *krematai*, que significa literalmente "pendurados": como uma pedra no pescoço (Mt 18.6) ou como um homem na cruz (Lc 23.39). Ou seja, tudo na Bíblia está pendurado, fixado pelo amor. Segundo Jesus, o amor em nossos relacionamentos — o vertical (com Deus) e o horizontal (com o próximo) — não sintetiza apenas a Torá, mas as Escrituras hebraicas como um todo: a lei e os profetas. Implicitamente, toda a *Tanak* é validada por Jesus como autênticas palavras de Deus.

Em sua resposta ao perito na lei, Jesus não apenas frustrou o plano dos fariseus, como também deixou claro que o amor total a Deus e o amor às pessoas são a essência de sua própria mensagem, a essência da vida cristã. Mas esse amor não é fácil nem simplório. Não se confunde com lassidão moral nem desemboca no egoísmo puro. O amor ordenado por Jesus parte do caráter santo do próprio Deus, a única fonte de todo amor verdadeiro. Ele é digno do amor total e irrestrito do ser humano, por ser seu Criador e Salvador. Para amar a Deus, no entanto, é preciso antes sair da indiferença e reconhecer que ele nos amou primeiro. Amar a Deus é procurar conhecer nosso Criador. Ele é o anseio mais profundo do ser humano, como orou o salmista (Sl 42.1-2).

Devemos amar a Deus e obedecer-lhe, mas o chamado à obediência só vem depois da demonstração do amor divino. Primeiro ele se revelou a Israel como o Deus de amor e poder que os livrou da escravidão no Egito, e só depois ele deu a Israel os Dez Mandamentos. Significa que as leis de Deus são respaldadas por suas ações amorosas. Israel podia obedecer a Deus não apenas porque ele é poderoso, mas porque é amoroso e fiel a suas promessas.

No entanto, embora o povo de Israel centralizasse sua vida no mandamento de Deuteronômio 6.4-5, apresentou altos e baixos em seu cumprimento. Exemplos positivos como o do rei Josias (2Rs 23.25) se contrapõem a exemplos negativos como o dos próprios fariseus, que se mostravam hipócritas e sem amor verdadeiro pelo Criador. Por isso Jesus concentrou-se no ensinamento principal da fé israelita — amar a Deus acima de tudo — e denunciou a religião vazia dos fariseus e seu aparente amor por Deus (Mt 23.5-6).

Jesus foi claro ao reafirmar que a vida começa a ter sentido quando amamos a Deus acima de todas as coisas, incluindo o próprio ego. Não podemos dividir a vida em diversas partes, algumas para Deus e outras para os interesses próprios. Deus deve ser amado sem reservas e com toda a capacidade do ser (Mc 7.6-7). Ações externas não constituem a essência da adoração e do amor a Deus, mas sim o que vem do coração e atravessa cada aspecto da vida humana. Tudo deve ser colocado a serviço de Deus, por amor a ele.

Outro aspecto importante do amor a Deus é a *pessoalidade* — o amor a Deus é de caráter individual, pessoal, não há como amá-lo em lugar do outro — e a *personalidade* — cada pessoa criada por Deus é única. Quando amamos a Deus, o fazemos de modo único, singular, irrepetível. Em outras palavras, de todo o coração, de toda a alma e de toda a mente.

Em relação ao segundo mandamento, é interessante notar que se encontra entre dois superlativos inigualáveis: antes dele está o "o primeiro e maior mandamento"; depois está a afirmação de que destes mandamentos "dependem toda a lei e os profetas". Isso mostra a grande relevância do amor ao próximo na fé cristã. O amor a Deus transforma as relações humanas. Somos convidados a amar familiares, amigos, colegas de trabalho, desconhecidos e até inimigos. Nunca ressoou com tanta força o convite ao amor como no evangelho.

Ao reafirmar a lei de Levítico 19.18 como o segundo maior mandamento, Jesus denunciou também a corrupção da lei propagada pela elite religiosa. Os fariseus e seus consortes fizeram da lei não uma expressão de amor ao próximo, mas uma ferramenta de dominação e abuso. Jesus os denunciou (Mt 23.4) e ensinou que a devoção a Deus é incompatível com a exploração do semelhante. Todo ensinamento contido no Novo Testamento mostra a impossibilidade de amar a Deus sem também amar o próximo (1Jo 4.20-21).

Portanto, é absolutamente incorreto à luz da fé cristã bíblica referir-se a Deus como meio de justificar a injustiça, a brutalidade, a discriminação, a humilhação ou qualquer outro pecado contra outro ser humano. A fé cristã convida a ver no próximo a presença de Jesus Cristo (Mt 25.35-40), a imagem do próprio Deus, e a esforçar-se em amá-lo, como Jesus ordenou. É colocar-se no lugar do outro, como se lhe transferíssemos nossos desejos de felicidade, segurança, realização e bênçãos.

Essa concepção incorpora os sentimentos humanos básicos de autopreservação, autoafirmação, autoestima e vai além. Jesus apresentou aos discípulos a necessidade de um padrão superior de desejos. Assim como desejamos perdão por nossas ofensas, devemos perdoar os demais por suas ofensas (Mt 6.14-15). Quando Pedro perguntou a Jesus quantas vezes ele deveria perdoar um irmão, Jesus respondeu: "setenta vezes sete" (Mt 18.22), indicando a paciência e generosidade que devemos exercitar.

É preciso, no entanto, ter cuidado com alguns equívocos. Primeiramente, a expressão "como a si mesmo" não significa "em prejuízo de si mesmo". Jesus não ordenou nem o ascetismo (abstenção do prazer físico e do conforto material), nem o altruísmo autodestrutivo (foco no outro em detrimento das próprias responsabilidades exigidas por Deus). O cuidado básico com si mesmo está implícito nesse mandamento e em outras passagens bíblicas como uma capacidade concedida por Deus ao ser humano (Ef 5.29). A ideia de autoflagelo como pretenso meio de agradar a Deus é severamente condenada nas Escrituras. As regras ascéticas "podem até parecer sábias, pois exigem devoção, abnegação e rigorosa disciplina física, mas em nada contribuem para vencer os desejos da natureza pecaminosa" (Cl 2.23). Temos, na verdade, o *dever* de cuidar-nos diligentemente (1Ts 4.11). Foi assim que o apóstolo Paulo orientou o jovem Timóteo: "Fique atento a seu modo de viver e a seus ensinamentos. Permaneça fiel ao que é certo, e assim salvará a si mesmo e àqueles que o ouvem" (1Tm 4.16).

Em segundo lugar, "como a si mesmo" não significa que devemos impor aos outros o que fazemos para nós. Jesus não disse: "busque para os demais *aquilo* que você busca para si". Em vez disso, ele diz: "busque *da mesma maneira*", ou seja, com o mesmo interesse, empenho e perseverança. "Como a si mesmo" é um padrão de ação, e não um programa totalitário. John Piper afirmou: "Use seu padrão de medida da busca da felicidade para medir o tamanho da felicidade que você deseja ao seu próximo. Como você busca seu bem-estar? Busque da mesma forma o bem-estar de seu próximo".[2] O que está em foco é direcionar o anseio que motiva nosso raciocínio de bem-estar para alegria e bem-estar do outro (Mt 7.12).

Existe na regra áurea o mesmo princípio de generosidade do segundo mandamento: devo respeitar o outro da mesma forma e com a mesma intensidade com que desejo ser respeitado. A fé cristã atribui alto valor à imaginação: "Sem ela não se consegue aplicar a regra de ouro de Jesus [...]. Devemos nos imaginar no lugar dos outros e imaginar o que gostaríamos que nos fizessem. Compaixão, empatia, amor solidário apoiam-se muito na imaginação daquele que ama".[3]

O segundo mandamento é, portanto, dependente do primeiro. Quando Deus é o centro de nossos desejos e interesses pessoais, a prática do segundo mandamento é santificada. Quando Deus torna-se a fonte de nossa alegria, nossa maneira de amar as pessoas é transformada com sabedoria. O seguidor de Jesus deve ser cheio da presença do próprio Jesus, a ponto de dizer como o apóstolo Paulo: "Fui crucificado com Cristo; assim, já não sou eu quem vive, mas Cristo vive em mim" (Gl 2.20).

De acordo com Jesus, os dois mandamentos formam, juntos, a essência da vida, e devem ser obedecidos. A obediência apenas a um deles não é o evangelho de Jesus. Se alguém diz amar a Deus, observa as práticas espirituais, mas não ama as pessoas, ele não cumpre, de acordo com o ensino de Jesus, o maior mandamento. Quem ama realmente a Deus tem seu interior transformado de modo a sentir-se impelido a amar o outro na prática, não na teoria.

Em contrapartida, é possível alguém amar o próximo, sem amar a Deus. É o caso, por exemplo, do ateu professo. Ainda que ele se volte altruisticamente para o semelhante, tampouco cumpre o maior mandamento, uma vez que é necessário amar a Deus antes de tudo. O evangelho é muito mais que voluntariado, beneficência e ativismo cívico. A Bíblia nos alerta de que é possível praticar todos os deveres da filantropia e do altruísmo e ainda assim não ter amor: "Se desse tudo que tenho aos pobres e até entregasse meu corpo para ser queimado, e não tivesse amor, de nada me adiantaria" (1Co 13.3).

Na fé cristã, o movimento de amar a Deus e o movimento de amar o próximo são integrados em um só movimento de amor.

A ordem dos mandamentos não deve ser alterada. O primeiro mandamento é o principal e não depende de nenhuma outra ação a ser observada ou obedecida. O segundo mandamento depende do mandamento de amar a Deus. Se menosprezarmos o amor a Deus e tentarmos colocar o amor ao próximo em primeiro plano, arruinaremos nossa vida e deixaremos até mesmo de amar o próximo como deveríamos. O amor a Deus é a base de tudo. É ele, com seu amor e cuidado, quem sustenta a regra de ouro. A incapacidade de compreender as verdadeiras prioridades da vida é uma característica comum aos hipócritas e aos ansiosos. A Bíblia diz que os fariseus davam atenção aos detalhes, mas esqueciam o essencial (Mt 23.23). Assim também os ansiosos (Mt 6.25). Não saber priorizar as coisas certas gera apenas tristeza e ansiedade.

Mas, se não devemos confundir a ordem dos mandamentos, tampouco podemos confundir a expressão desse amor conforme ordenado por Jesus. Embora tanto o amor a Deus como o amor ao próximo sejam expressos com a palavra grega *ágape* — que aponta para o aspecto sacrificial de ambos os mandamentos —, eles são expressos diferentemente. Devemos amar a Deus "de todo o coração, de toda a alma e de toda a mente", e não "como a nós mesmos". O amor a Deus é o deleite arrebatador pelo nosso único Criador e Salvador. Não tem rival. A glória de Deus é a razão de termos sido criados. Ao amá-lo com todo nosso ser, cumprimos o propósito de nossa vida. Deus é a alegria de todas as alegrias: "Quem mais eu tenho no céu senão a ti? Eu te desejo mais que a qualquer coisa na terra" (Sl 73.25).

Assim também o segundo mandamento não diz que devemos "amar o próximo de todo o coração, de toda a alma e de toda a mente". Certamente devemos amar o próximo de coração, ou seja, com sinceridade: "Amem uns aos outros sinceramente, de todo o coração" (1Pe 1.22), mas Jesus não ensinou que devemos amar o próximo com a mesma entrega absoluta com a qual devemos amar a Deus. O amor ao próximo deve ser "como a si mesmo", e não "de todo o coração, de toda a alma e de toda a mente". Jesus não ensinou uma espécie de evangelho antropocêntrico ou evangelho social, em que o ser humano deve ser adorado como um fim em si mesmo.

Amar o próximo como se ele fosse um deus é marca tanto de idolatria como de um altruísmo doentio e alienante. Mais uma vez, o equilíbrio do amor ao próximo só é possível a partir do amor a Deus, a fonte de todo amor verdadeiro. O evangelho de Jesus aponta para o "bendito e único Deus todo-poderoso, o Rei dos reis e Senhor dos senhores. Somente a ele pertence a imortalidade, e ele habita em luz tão resplandecente que nenhum ser humano pode se aproximar dele. Ninguém jamais o viu, nem pode ver. A ele sejam honra e poder para sempre! Amém" (1Tm 6.15-16).

Embora esteja implícito em "ame o seu próximo" certo grau de cuidado e autorrespeito, a Bíblia não traz implícita nesse mandamento uma conotação egoísta; ao contrário, ela não só condena o egoísmo (Fp 2.3-4) como apresenta o próprio Jesus como padrão para nós (Fp 2.5-11).

O filósofo Blaise Pascal disse que "duas leis bastam para reger toda a república cristã, melhor do que todas as leis políticas".[4] O evangelho de Jesus anuncia uma civilização do amor.

Portanto, o amor — que está associado à obediência, como veremos a seguir — é a base da vida.

6
Ame, não desobedeça

A prática dos maiores mandamentos de Jesus

....

Um dos mestres da lei estava ali ouvindo a discussão. Ao perceber que Jesus tinha respondido bem, perguntou: "De todos os mandamentos, qual é o mais importante?".

Jesus respondeu: "O mandamento mais importante é este: 'Ouça, ó Israel! O Senhor, nosso Deus, é o único Senhor. Ame o Senhor, seu Deus, de todo o seu coração, de toda a sua alma, de toda a sua mente e de todas as suas forças'. O segundo é igualmente importante: 'Ame o seu próximo como a si mesmo'. Nenhum outro mandamento é maior que esses".

O mestre da lei respondeu: "Muito bem, mestre. O senhor falou a verdade ao dizer que há só um Deus, e nenhum outro. E sei que é importante amá-lo de todo o meu coração, de todo o meu entendimento e de todas as minhas forças, e amar o meu próximo como a mim mesmo. É mais importante que oferecer todos os holocaustos e sacrifícios exigidos pela lei".

Ao perceber quanto o homem compreendia, Jesus disse: "Você não está longe do reino de Deus". Depois disso, ninguém se atreveu a lhe fazer mais perguntas.

Marcos 12.28-34

....

No capítulo anterior, vimos o *significado* dos maiores mandamentos de Jesus. Neste, veremos a *prática*, com base no evangelho de Marcos. Como bem disse Bonhoeffer: "A vida cristã não é feita de palavras, mas de experiência. Ninguém é cristão sem experiência".[1] De fato, existe na fé cristã uma profunda conexão entre amor e obediência. Não basta conhecer os grandes mandamentos do amor, devemos praticá-los, vivenciá-los.

Como em Mateus, o evangelho de Marcos também apresenta o diálogo entre Jesus e o representante dos fariseus sobre os maiores mandamentos, mas é importante salientar que cada evangelho traz ênfases e aspectos específicos. Cada evangelista joga uma luz própria sobre a preciosa vida de Jesus Cristo. Com isso em mente, vejamos três peculiaridades do relato sobre os grandes mandamentos no evangelho de Marcos:

A primeira está relacionada à referência feita ao fariseu. Enquanto Mateus se refere a ele usando o termo grego *nomikos* ("especialista da lei"), Marcos o chama de *grammateon* (habitualmente traduzido por "escriba"). Especialista da lei dá a ideia de intérprete da lei, enquanto escriba indica que também se tratava de um copista autorizado das Escrituras hebraicas. Ou seja, ele não era apenas alguém que lia, estudava, conhecia, mas alguém que transcrevia, transmitia e eventualmente ensinava. Não por acaso foi o representante dos fariseus naquela iniciativa que visava a constranger Jesus.

Uma segunda peculiaridade está na citação que Jesus faz, no relato de Marcos, do *Shemá* completo, incluindo a primeira sentença: "Ouça, ó Israel! O Senhor, nosso Deus, é o único Senhor", mencionada em Deuteronômio 6.4 antes do primeiro mandamento que vem logo a seguir, em 6.5: "Ame o Senhor, seu Deus, de todo o seu coração, de toda a sua alma e de todas as suas forças".[2] Desse modo, Marcos enfatiza que Jesus retomou as raízes da aliança de Deus com Israel. A exemplo do que ocorre ainda hoje na comunidade judaica, o *Shemá* era recitado a cada manhã e tarde como recordatório daquilo que Deus havia falado com Israel e que deveria ser obedecido. A primeira sentença do *Shemá* ressalta que a devoção a Deus não pode ser dividida. Deus é único e devemos adorá-lo com todo o nosso ser: coração, alma e forças.

A grande peculiaridade existente entre os registros dos evangelistas, no entanto, é que apenas Marcos apresenta a reação do escriba à resposta de Jesus sobre o grande mandamento: ele ficou admirado. No início da conversa, aquele escriba era uma ferramenta dos fariseus para minar a autoridade de Jesus. Mas, no curso da interação com Cristo, aquele homem mudou de postura e manifestou sua aprovação ao que ouviu. O escriba fariseu admitiu que Jesus estava correto: "Muito bem, mestre".

A resposta de Jesus foi extraída das próprias Escrituras, que o escriba conhecia tão bem. Jesus posicionou o amor a Deus no centro da lei e dos profetas, do qual flui naturalmente o amor ao próximo. Além de inviabilizar qualquer manobra retórica, as palavras de Jesus centralizadas no amor a Deus e ao próximo, aliadas à "inequívoca confirmação por um escriba de Jerusalém, demonstram que ele está alinhado com o pensamento dos melhores de sua geração na interpretação dos temas essenciais da Torá".[3]

O escriba não foi leviano: encarou honestamente a afirmação de Jesus. O fato de que muitos dos ouvintes de Jesus reconheceriam a plausibilidade de sua resposta tornou ainda mais difícil contestá-lo nesse assunto. Assim, o escriba foi humilde quando admitiu: "O senhor falou a verdade ao dizer que há só um Deus, e nenhum outro. E sei que é importante amá-lo de todo o meu coração, de todo o meu entendimento e de todas as minhas forças, e amar o meu próximo como a mim mesmo. É mais importante que oferecer todos os holocaustos e sacrifícios exigidos pela lei".

Não foi possível prosseguir com a tentativa de desacreditar Jesus. Ao reconhecer que o amor a Deus e ao próximo eram a essência da vida, como poderia continuar a servir à facção dos fariseus, que desejava apenas criar problemas para Jesus?

Jesus, vendo que ele tinha respondido sabiamente, disse: "Você não está longe do reino de Deus". Contudo, embora aprovasse o pensamento do escriba, não afirmou que ele estivesse "dentro" do reino de Deus. É necessário entrar no caminho de Jesus, e não apenas conhecê-lo ou admirá-lo. Conforme J. C. Ryle: "O escriba, nesta passagem, evidentemente era um homem dotado de um conhecimento superior ao da maioria dos escribas. [...] Contudo, não devemos fechar os olhos para o fato de que, em parte alguma da Bíblia, somos informados que aquele homem veio a tornar-se um dos discípulos de nosso Senhor".[4]

Não basta crer na unidade de Deus, devemos amá-lo supremamente. Não basta saber que devemos amar as pessoas, devemos demonstrar esse amor.

No evangelho existe uma profunda conexão entre amor e obediência. Jesus apresentou o amor a Deus e ao próximo como um mandamento, e como tal deve ser obedecido. Mas, curiosamente, Jesus também disse que quem o ama lhe obedece (Jo 14.23). Portanto, o evangelho revela que obedecemos porque amamos Jesus, e amamos porque obedecemos a Jesus. Não nos cabe, porém, nenhum mérito na essência da obediência e do amor. É a ação do próprio Deus em nós, "pois Deus está agindo em vocês, dando-lhes o desejo e o poder de realizarem aquilo que é do agrado dele" (Fp 2.13).

Onde houver amor haverá serviço e obediência, pois o amor é a base da obediência. Onde houver obediência a Deus haverá amor, porque o mandamento de Deus exige amor. Por isso, na tradição cristã, o caminho da santidade e o caminho do amor convergem. O amor é muito mais que um sentimento espontâneo, "ele é uma obrigação. Não se pode esperar indefinidamente a vontade de amar. É preciso abrir o coração, forçar e cultivar o amor. [...] Se tal coisa não fosse possível, os mandamentos do amor que estão nas Escrituras Sagradas seriam figuras de retórica".[5] "É o amor que concede espontaneidade ao comportamento, desneurotizando a obediência."[6]

Assim, podemos apontar algumas orientações bíblicas práticas sobre o amor a Deus e ao próximo:

1. *Ame a Deus de todo o seu coração*. Na linguagem bíblica, o coração representa a totalidade da vida.[7] É a própria pessoa. Ele pode ser moldado (Pv 23.15), aprender, desenvolver-se, melhorar, amadurecer. Portanto, pode ser ensinado (Pv 22.17) e receber todo tipo de "hóspede". Por isso, não devemos guardar nele coisas como o pecado e a desobediência (Sl 66.18), ao contrário, devemos guardar o que é precioso, como a palavra de Deus (Sl 119.11).

O Antigo Testamento mostra que cuidar do coração é cuidar da vida por inteiro. Podemos até enganar as pessoas, mas não a Deus, pois ele conhece o coração dos seres humanos (Pv 15.11). No Novo Testamento, o sentido atribuído pela comunidade israelita é basicamente preservado. O coração, fonte dos pecados e das impurezas humanas (Mt 15.18), carrega também as leis de Deus e a sensibilidade moral (Rm 2.15). Significa, por um lado, que o coração sabe como é preciso agir para agradar ao Deus Criador, mas por outro é incapaz de agir com completa justiça porque está corrompido pelo pecado.

A Bíblia, porém, apresenta uma saída para o coração: ele pode receber as palavras de Deus e cultivá-las até que gerem transformação. Na parábola do semeador, Jesus advertiu que o diabo pode tirar a palavra do coração de quem não está atento (Lc 8.12). Enquanto não abrigar a verdade divina, o coração estará vulnerável às mentiras de Satanás (At 5.3; Rm 16.18). A fé vem por ouvir a palavra com o coração. É nele que manifestamos a fé na ressurreição de Jesus (Rm 10.9). De acordo com sua soberania e misericórdia, Deus derrama o Espírito de seu Filho sobre o coração humano (Gl 4.6).

Em um sentido mais específico, o coração é o abrigo dos pensamentos mais íntimos e ocultos, contrapondo-se às aparências (2Co 5.12). Ele é profundo como um abismo, e capaz de esconder pecados. Deus, no entanto, conhece os pensamentos mais secretos do nosso coração (Lc 1.51) e o prova (1Ts 2.4). Jesus, Filho de Deus, também demonstrou sua autoridade divina ao revelar os pensamentos do coração humano (Mt 9.4; Lc 2.34-35). Em Apocalipse, Jesus é aquele que sonda mentes e corações (Ap 2.23). Um dia, todos serão julgados pelas intenções de seu coração (1Co 4.5). Deus trará tudo à luz, portanto não é tão difícil afirmar que o dia do juízo será curto: cada pessoa será sua própria testemunha.

O coração abriga várias capacidades e todas devem ser usadas com o objetivo de amar a Deus. Se por um lado podemos esconder, por outro podemos revelar os pensamentos e as motivações escondidos no coração (2Co 6.11). Amar a Deus de todo o coração significa abri-lo para Deus em oração. É a oração que nos faz ver claramente o real valor das coisas secundárias, com as quais não raro ficamos completamente fascinados e anestesiados. Pela oração, nosso discernimento é restaurado, permitindo-nos melhor avaliar e valorar as coisas.

Amar a Deus de todo o coração é valorizar completamente a Deus, pois é no coração que manifestamos o que nos é valioso (Mt 6.21).

Portanto, não devemos endurecer o coração (Hb 3.8), mas fortalecê-lo na graça (Hb 13.9). A maior promessa das Escrituras é direcionada aos puros de coração: "Felizes os que têm coração puro, pois verão a Deus" (Mt 5.8).

É muito fácil enxergar os defeitos dos outros. Mas o primeiro mandamento confronta nosso coração. Devemos amar a Deus com cada fibra de nosso ser. A expressão "coração" é a mais importante das alistadas no primeiro mandamento porque engloba todas as demais.

2. *Ame a Deus de toda a sua alma.* Na linguagem bíblica, alma é como a sede da personalidade humana.[8] Ela pode ficar feliz ou triste, pode ser irritada ou satisfeita (Sl 42.5; Lm 3.20; Sl 131.2). Nos textos hebraicos a ligação da alma com a vida é muito intensa, a ponto de serem sinônimas em diversas ocasiões.

Há uma semelhança com a ideia hebraica e grega de alma, pois ambas estão relacionadas às emoções, estado de espírito e sede imaterial da personalidade humana. Sem esperança, a alma pode ficar à deriva (Hb 6.19), mas em uma situação favorável pode alegrar-se (Lc 1.46). Existem desejos que guerreiam contra a alma (1Pe 2.11). Portanto, assim como o coração pode ser impactado pela Palavra de Deus, a alma pode ser atravessada por ela (Hb 4.12). No Antigo Testamento, a alma está muito ligada à noção de vida. No Novo Testamento, Jesus diz que a vida (alma) é mais importante que o alimento (Mt 6.25) e que o bom pastor dá a vida (alma) pelas ovelhas (Jo 10.11).

Se desejamos mais tranquilidade, devemos amar ao Senhor de toda a alma. As pessoas estão tão doentes, tão acomodadas no que é externo e corriqueiro que se tornam incapazes de compreender a própria alma e a vida interior. Não toleram voltar-se para si mesmas, não têm coragem de encarar a própria alma. Mas, quando amamos a Deus de toda a alma, através de orações, louvores e meditação nas Escrituras, encontramos uma satisfação única. Nossa alma busca a Deus como a corça sedenta busca águas correntes. Ora, "não seriam amor e busca de Deus dois conceitos tão próximos um do outro que se complementam?".[9]

3. *Ame a Deus de toda a sua mente.* Na linguagem bíblica, a ideia de mente, ou entendimento, aproxima-se muito da linguagem comum:[10] entendimento envolve a capacidade de pensar, sentir, raciocinar, perceber, discernir, rememorar. No Antigo Testamento, são utilizadas várias palavras hebraicas para designar a ideia de entendimento. Ele é valioso (Pv 16.16), mas não ilimitado. A inteligência humana é restrita (Is 29.14). Por isso, há uma convocação à confiança no entendimento superior de Deus: "Confie no SENHOR de todo o coração; não dependa de seu próprio entendimento" (Pv 3.5).

No Novo Testamento, o termo grego usado também se aproxima da compreensão comum sobre "entendimento", relacionado à ideia de mente, pensamento, disposição mental, percepção, inteligência. Enquanto Paulo e Pedro nos dizem que nosso entendimento está afastado de Deus (Cl 1.21), que deve estar preparado (1Pe 1.13) e que se espera que seja sincero (2Pe 3.1), João afirma que Jesus nos dá um novo entendimento para que conheçamos a Deus (1Jo 5.20). A lei de Deus está escrita não apenas em nosso coração, mas em nosso entendimento (Hb 8.10).

Precisamos encher a mente com as palavras de Deus, fazer do "peito uma biblioteca de Cristo".[11] Somos ensinados a amar a Deus com os pensamentos, por isso são tão importantes as orientações em Filipenses 4.8: "Concentrem-se em tudo que é verdadeiro, tudo que é nobre, tudo que é correto, tudo que é puro, tudo que é amável e tudo que é admirável. Pensem no que é excelente e digno de louvor".

4. *Ame a Deus de todas as suas forças.* Na linguagem bíblica, a ideia de "força" também é muito próxima da linguagem comum.[12] Força corresponde a nossas ações, reações, atividades, a nosso empenho, a nossa determinação, podendo alcançar a noção de posses e propriedade material. No Antigo Testamento há várias palavras para designar "força", ora associadas a poder (Pv 11.7), ora a luta (Os 12.4).

Não é diferente no Novo Testamento. O termo grego também se aproxima do conceito de força na linguagem cotidiana. Somos informados de que a força dos anjos é superior à dos seres humanos (2Pe 2.11), assim como a força de Deus é superior à força da morte (Ef 1.19). O apóstolo Paulo afirma que podemos nos fortalecer no poder de Jesus (Ef 6.10). É muito interessante a ligação entre força e serviço. O apóstolo Pedro diz que devemos servir na força de Deus (1Pe 4.11). Jesus disse que ele mesmo não veio para ser servido, mas para servir.

É na força que a vida interior toca o mundo exterior. Devemos amar a Deus com o corpo, realizando aquilo que o agrada. Com o amor que parte da sinceridade de coração, podemos orar também com o corpo, pois como disse Tomás de Aquino: "Ao nos ajoelhar damos a entender nossa incapacidade diante de Deus, e quando nos prostramos confessamos o nada que somos".[13] Amemos a Deus de toda a nossa força.

5. *Ame o próximo como a si mesmo.* O convite do primeiro mandamento para amarmos a Deus de todo o coração também se estende para conhecermos nosso coração, pois o

"conhecimento de Deus e o conhecimento de si se apoiam mutuamente".[14] Nosso interior é completamente transformado no encontro com Deus. Assim, quando Deus está verdadeiramente no coração, quando a alma desfruta da paz divina, quando os pensamentos se afastam do egocentrismo, quando as forças são colocadas à disposição da vontade divina, passamos a amar naturalmente os que nos rodeiam.

Os discípulos de Jesus são convocados a amar as pessoas e têm no Mestre seu maior exemplo: "Jesus deixa claro que o amor é a lei da vida para todos os que o seguem. Sua 'casa de oração para todos os povos' deve ser uma comunidade de pessoas que amam e que manifestam seu cuidado uns com os outros".[15]

Amar como Jesus amou é o novo mandamento. Ele não apenas resumiu a *Tanak*, mas a encarnou e cumpriu em sua vida e morte. Mesmo sendo impecáveis suas credenciais como mestre em Israel, os líderes religiosos conspiraram contra ele, desobedecendo diretamente à ordem de imitar a santidade de Deus, expressa em Levítico. E esse processo culminou na crucificação de Jesus no monte Calvário.

Jesus permaneceu sereno apesar de toda violência sofrida, pois era necessário para que a vontade de Deus se cumprisse. Jesus não apenas enfrentou a cruz com consciência, mas também convocou os discípulos a seguirem seus passos, vivendo uma vida de amor intenso. Nos momentos que antecederam sua prisão e crucificação, ele realizou o ato conhecido como *lava-pés*. A cena, relatada apenas no evangelho de João, inicia com estas palavras: "Antes da festa da Páscoa, Jesus sabia que havia chegado sua hora de deixar este mundo e voltar para o Pai. Ele tinha amado seus discípulos durante seu ministério na terra, e os amou até o fim" (Jo 13.1).

Após jantar com os discípulos, Jesus levantou-se, tirou a capa e colocou uma toalha na cintura. Então, derramou água numa bacia e lavou os pés dos discípulos, recomendando-lhes que seguissem seu exemplo (Jo 13.15). Mais que isso. Deu-lhes um novo mandamento: "Amem uns aos outros. Assim como eu os amei, vocês devem amar uns aos outros. Seu amor uns pelos outros provará ao mundo que são meus discípulos" (Jo 13.34-35).

Os mandamentos antigos baseavam-se em regras escritas, mas o novo mandamento baseava-se em um exemplo vivo: Jesus Cristo. Com esse novo mandamento e sua vida irrepreensível, Jesus conduz as leis israelitas à perfeição.

A fé cristã tem em Cristo seu modelo completo de vida.

1. *Jesus é o modelo de como devemos amar: "como eu os amei"*. Jesus não disse "amem o melhor que puderem", mas *"amem como eu os amei"*, ou seja, da mesma maneira, com a mesma atitude. Não é uma imitação ritualista, formal e hipócrita, mas uma imitação da atitude amorosa de Jesus: humilde, simples, gentil (Ef 5.1-2). Quando Jesus é o modelo de amor, fica evidente a necessidade da autodesistência e da recapacitação para amar. Jesus nos leva a confiar nele e a depender dele. Não podemos amar por nossa própria força, mas apenas pela força de Jesus. Os cristãos creem que o próprio Deus os capacita a amar por meio da presença de seu Espírito na vida deles (Rm 5.5). Evangelho não é fazer o melhor possível, mas confiar completamente em Jesus Cristo. Só quando seus seguidores permanecem na fé é que são capazes de obedecer à orientação: "façam tudo com amor" (1Co 16.14).

2. *O amor deve ser recíproco: "amem uns aos outros"*. A mutualidade do amor também é enfatizada por Jesus. Os cristãos são chamados a praticar o amor reciprocamente: orando uns pelos

outros (Tg 5.16), saudando uns aos outros (2Co 13.12), aconselhando uns aos outros (1Ts 5.12), aceitando uns aos outros (Rm 15.7), cuidando uns dos outros (1Co 12.25), sujeitando-se uns aos outros (Ef 5.21-22), suportando uns aos outros (Cl 3.13), deixando de julgar uns aos outros (Rm 14.13), não reclamando uns dos outros (Tg 5.9), não falando mal uns dos outros (Tg 4.11), não provocando uns aos outros (Gl 5.26), não mentindo uns aos outros (Cl 3.9), confessando os pecados uns aos outros (Tg 5.16), perdoando uns aos outros (Tg 5.15), edificando uns aos outros (1Ts 5.11), ensinando uns aos outros (Cl 3.16), encorajando uns aos outros (At 13.15), servindo uns aos outros (1Pe 4.10), levando as cargas uns dos outros (Gl 6.2), hospedando uns aos outros (1Pe 4.9), sendo bondosos uns com os outros (Ef 4.32), dedicando-se uns aos outros com amor fraternal (Rm 12.10).

3. *A prática do amor é a prova do discipulado: "seu amor [...] provará ao mundo"*. Como saber se alguém de fato segue a Jesus Cristo? O próprio Senhor respondeu: pela prática do amor. "Jesus revela-nos que somos chamados por Deus a ser testemunhas vivas do amor de Deus. E nos tornamos essas testemunhas seguindo a Jesus e nos amando mutuamente como ele nos ama."[16] O objetivo da igreja, a comunidade dos salvos por Jesus, não é proteger a si mesma, mas testemunhar ao mundo o amor de Deus que está em Cristo Jesus, para a glória do próprio Deus. Através do amor recíproco, os cristãos tornam visível o Deus invisível.

7
Não faça mal ao próximo
O conceito minimalista de amor

> Não devam nada a ninguém, a não ser o amor de uns pelos outros. Quem ama seu próximo cumpre os requisitos da lei de Deus. Pois os mandamentos dizem: "Não cometa adultério. Não mate. Não roube. Não cobice". Esses e outros mandamentos semelhantes se resumem num só: "Ame o seu próximo como a si mesmo". O amor não faz o mal ao próximo, portanto o amor cumpre todas as exigências da lei de Deus.
>
> ROMANOS 13.8-10

A igreja cristã irrompeu a partir de Jerusalém. Os discípulos e discípulas, acuados após a crucificação de seu mestre, mudaram radicalmente de postura: espalharam-se por toda parte afirmando convictamente a ressurreição de Jesus.

Esse primeiro núcleo de seguidores foi inicialmente liderado pelo apóstolo Pedro e logo expandiu-se, reunindo milhares de adeptos entre os judeus. Isso despertou a fúria das autoridades religiosas israelitas, que passaram a perseguir os que se uniam ao movimento. O Sinédrio, órgão da cúpula judaica, chegou a torturar os apóstolos Pedro e João e a apedrejar até a morte o diácono Estêvão (At 7.59-60), cena presenciada por um jovem fariseu chamado Saulo de Tarso.

Saulo foi um zeloso adversário dos cristãos e um implacável perseguidor da igreja até seu encontro com o próprio Jesus ressurreto, na estrada para Damasco. A partir de então, Saulo, mais tarde denominado Paulo, converteu-se à fé cristã, foi batizado e passou a ensinar sobre Jesus. "A conversão de Saulo de Tarso é a mais celebrada em toda a história da igreja cristã",[1] da qual se tornou seu principal líder, graças a sua grande erudição e ao propósito de Deus para sua vida.

Paulo ofereceu pelo menos três grandes contribuições à expansão da fé cristã: (1) as viagens missionárias de longo alcance, estabelecendo a fé cristã na Ásia Menor, Macedônia e Grécia; (2) o desenvolvimento das implicações cristãs na teologia e nas práticas judaicas, e sua aplicação à linguagem dos gentios, ou seja, dos não judeus; (3) a produção de várias cartas responsáveis por orientar a teologia e a práxis da igreja cristã.[2]

Seus escritos, inspirados pelo próprio Deus, conforme creem os cristãos, elucidaram os fundamentos doutrinários do evangelho. A epístola aos romanos é a mais importante sistematização da fé cristã. Pela densidade de seus temas, eruditos de todos os tempos, incluindo não cristãos, reconhecem que ela contém algumas das páginas mais impressionantes já escritas. Apresentado todo o plano de salvação, o apóstolo Paulo se dedica às aplicações práticas da doutrina cristã. O capítulo 12, por exemplo, é marcado por diversos ensinamentos sobre o amor, que deve ser sincero, sem hipocrisia, sem favoritismos, sem falsas intenções. Os cristãos deveriam exercer o amor fraternal, lembrar-se dos mais necessitados, abençoar em lugar de maldizer.

Como cristãos, estamos unidos uns aos outros em todas as circunstâncias, alegrando-nos com os que se alegram e chorando com os que choram. Independentemente de hierarquias criadas pelos seres humanos, diante de Deus somos todos iguais. Paulo recepciona integralmente a atitude de amor extremo vivida e ensinada por Jesus, que ensinou a supremacia do amor sobre o ódio. Paulo advertiu a igreja em Roma a que vivesse em paz com todos. Nenhum seguidor de Jesus deve lançar mão da violência, mas em vez disso confiar na justiça de Deus e esforçar-se para amar até mesmo os inimigos.

No capítulo 13, Paulo refere-se especificamente à responsabilidade cristã perante a sociedade. Os cristãos deveriam respeitar as autoridades, incluindo as governamentais. Nenhuma estrutura de poder escapa à soberania de Deus. Por isso, os cristãos são instados a obedecer às autoridades constituídas. Essa obediência, no entanto, é sempre crítica e atenta ao evangelho. Possui limite, e esse limite é o pecado. Significa que, se qualquer autoridade — política, religiosa, familiar — exigir algo que desagrade a Deus, o dever cristão é desobedecer-lhe, pois o mais importante é obedecer a Deus, e não a homens.

Diante disso, podemos apontar três lições sobre o amor cristão na sociedade. A primeira lição diz respeito à *responsabilidade*: amar é um dever perene. Paulo reafirma a importância do amor ao próximo para a fé cristã e nos apresenta um incentivo: "Não devam nada a ninguém, a não ser o amor de uns pelos outros. Quem ama seu próximo cumpre os requisitos da lei de Deus". O amor é comparado, literalmente, a uma dívida. Dívidas são indesejáveis porque geram pressão sobre o devedor. O apóstolo Paulo se vale desse conceito simples para ensinar uma lição espiritual sobre o amor: não podemos descansar enquanto não amarmos as pessoas.

O cristão é orientado a olhar o semelhante colocando-se na posição não de consumidor, mas de devedor. Paulo está dizendo que o amor ao próximo é um dever ininterrupto. A dívida brota assim que é saldada, razão pela qual nunca podemos dizer que amamos alguém plenamente. Sempre podemos amar mais, andar a milha extra. Na parábola do bom samaritano, o especialista da lei estava à procura de um limite para a sua obrigação de amar o próximo, mas Jesus, por seu próprio exemplo, eliminou qualquer conceito de limite para o amor. Por isso o cristão está sempre em dívida de amor com seu semelhante.

A segunda lição está relacionada ao *incentivo:* amar é agradável a Deus. Aquele que ama seu próximo tem cumprido a lei, ou seja, quando praticamos o amor realizamos o que Deus espera de nós, é um ato de obediência que agrada a Deus. É também o que Jesus espera de seus seguidores. Paulo reafirmou as palavras de Jesus ao resumir os mandamentos ao amor ao próximo. Trata-se de uma doutrina completamente cristã.

Vários biblistas notaram a lógica interessante construída nos versículos 8 a 10 do capítulo 13: quanto maior a dívida de amor, maior a quitação do débito com a lei. Obediência à lei sem amor resulta em legalismo e fariseísmo. Amamos não por mérito, mas para agradar a Cristo. John Stott afirmou: "Amor e lei necessitam um do outro. O amor necessita da lei para orientá-lo e a lei necessita do amor para inspirá-la".[3]

A terceira e última lição tem a ver com a *prática:* amar é não causar mal ao outro. Quando Paulo menciona exemplos concretos da lei, como "não cometa adultério" e "não mate", ele ressalta a ação prática do amor, em vez do sentimentalismo. Na fé cristã, o amor ao próximo não é explicado em categorias emocionais, mas em categorias éticas. Amor não é entusiasmo vazio, mas obediência a comandos específicos. Os cristãos são santificados pelo Espírito para obedecerem a Jesus Cristo (1Pe 1.2). A obediência prática resulta no convívio decente com as pessoas. Por isso, o texto conclui afirmando que o amor não pratica o mal contra o próximo; em vez disso, é o cumprimento da lei, em uma concepção *minimalista* de amor.

Alguns eruditos chamam essa definição de concepção *negativa* do amor, por ressaltar aquilo que o amor *não faz*: o amor não pratica o mal. Esse texto de Romanos nos encoraja a perseverar no amor, apesar de suas severas exigências. Ainda que possamos não compreender todas as implicações do amor ao próximo, uma atitude fica muito clara: não podemos maltratar o outro. Enquanto no capítulo 12 Paulo trata dos aspectos ativos e positivos do amor, aqui ele faz outra abordagem.

O apóstolo João elaborou raciocínio semelhante em sua primeira carta. De um lado, diz de modo positivo que os verdadeiros cristãos praticam a justiça: "todo o que *pratica* a justiça é nascido de Deus" (1Jo 2.29) e, de outro, diz que os cristãos genuínos *deixam* de praticar o pecado: "Aquele que é nascido de Deus *não* vive no pecado, pois a vida de Deus está nele. Logo, *não* pode continuar a pecar, pois é nascido de Deus" (1Jo 3.9). Significa que amar é deixar de praticar o mal. É muito interessante perceber que existem "nãos" no amor, assim como existem "nãos" na lei. Tanto o amor como a lei nos impedem de causar a destruição do outro.

Mas como podemos praticar o conceito negativo de amor? Ou seja, como é possível *não* causar mal ao próximo? Há dois aprendizados básicos. O primeiro, a concepção minimalista, consiste em refletir sobre os hábitos errados que devemos abandonar. Não há necessidade, por exemplo, de inteirar-se de tudo o tempo todo. Intrometer-se na vida alheia é deixar de cumprir o amor ao próximo (Ec 7.21-22), pois prejudica a pessoa e seus relacionamentos. Somos novas criaturas (2Co 5.17), e como tal devemos abandonar hábitos inúteis. Pedro escreve que é preciso livrar-se da maldade, do engano, da hipocrisia, da inveja e de toda espécie de maledicência (1Pe 2.1), afastar-se do mal e fazer o bem, e buscar a paz com perseverança (1Pe 3.11).

Uma das maneiras de identificar que hábitos precisamos abandonar é seguir a própria lógica de Romanos e refletir sobre os Dez Mandamentos. Paulo citou quatro deles: não cometer adultério, não matar, não roubar e não cobiçar. E todos se resumem a este preceito: "Ame o seu próximo como a si mesmo". Os mandamentos revelam nossa incapacidade de agir corretamente valendo-nos do próprio esforço. Só desenvolvemos a atitude correta quando Cristo habita em nós (Ef 2.9-10). São realidades simultâneas: Deus nos capacita e nós agimos; nós agimos porque Deus nos capacita. Os mandamentos são a contrapartida negativa do mandamento positivo de amar a Deus e o próximo. São como as duas faces da mesma folha.

O adultério é explicitamente proibido porque, ao quebrar o voto de fidelidade prometida, ofende-se diretamente o cônjuge. A tradição cristã (como a judaica) recusa-se a aceitar a impossibilidade de controlar os desejos sexuais. A sexualidade é compreendida como dádiva, não como tormento.

Biblistas explicam que o mandamento "não mate" pode ser traduzido por "não cometa assassinato", ou seja, o que se proíbe é tirar a vida humana injustamente, sem autorização ou por vingança.[4] O derramamento de sangue inocente é um dos pecados condenados repetidamente no Antigo Testamento. No Sermão do Monte, Jesus foi além. Ele afirma que aquele que odeia o próximo e o ofende com palavras e ira injustificada também age como assassino. Não se trata de minimizar a gravidade do assassinato, mas de maximizar a gravidade dos insultos e das atitudes irritadiças que praticamos. Conforme escreveu João: "Quem odeia seu irmão já é assassino" (1Jo 3.15).

O mandamento "não roube" deixa claro que não devemos prejudicar o próximo apropriando-nos do que é dele por direito; em vez disso, devemos reconhecer e respeitar seus direitos de propriedade. Não há lugar para desonestidade ou qualquer tipo de trapaça. Para que tenhamos uma sociedade coerente, regrada e funcional, é preciso distinguir claramente e reconhecer o que nos pertence e o que é de propriedade alheia. Conforme ressaltou Daniel Lança, devemos estar alertas: práticas como suborno, apropriação indébita (seja de bens materiais, seja de ideias), falsificação de documentos, aproveitamento ilegal de informações sigilosas, todas são maneiras de roubar.[5] A proibição do roubo é simultaneamente um encorajamento ao trabalho honesto para o próprio sustento e para repartir com o necessitado (Ef 4.28). Ou seja, o contrário do roubo é mais que a honestidade pessoal e o trabalho honesto pelo próprio sustento, é também a responsabilização e o cuidado pelo outro.

Diferentemente das leis civis, que apenas regulam comportamentos externos, o mandamento para não cobiçar alcança a dimensão interior. A cobiça não é propriamente um ato, mas uma postura que reflete o interior. Paulo afirmou em Romanos 7.7-12 que esse mandamento iluminou seu entendimento do pecado. Como fariseu zeloso, ele se julgava inculpável diante da lei de Deus em termos de justiça exterior: "Eu jamais saberia que cobiçar é errado se a lei não dissesse: 'Não cobice'" (Rm 7.7). Por não praticar o mal contra o próximo, o amor nos leva a dizer "não" a nós mesmos em favor de outros. Algumas das marcas do amor são, portanto, a temperança, a simplicidade e o contentamento. A sabedoria nos ensina a controlar os próprios apetites (Pv 23.2).

O segundo aprendizado consiste em olhar as pessoas considerando nossa dívida de amor. Sem amor, nosso olhar sobre os outros apresenta um caráter de autoafirmação, a fim de atender a nossas necessidades. Vivemos mendigando a atenção alheia. Olhamos com expectativas, em lugar de considerar nossas próprias obrigações e responsabilidades. As pessoas desamorosas são assim: egocêntricas. Nunca estão dispostas a servir o outro ou a doar-se.

Gostamos de pensar que não devemos nada a ninguém. João Calvino ressaltou que não podemos desconsiderar nossa tendência de menosprezar as pessoas. Se vemos no próximo os mesmos talentos que admiramos em nós (ou ainda melhores), com toda malignidade os depreciamos e fazemos pouco caso, pois com isso não precisaremos reconhecer a excelência do semelhante. Se os outros têm algum vício, não nos preocupamos apenas com criticá-los aguda e severamente, mas também nos permitimos exagerá-lo com todo nosso ódio.

Mas a postura do amor é completamente diferente. Em Romanos aprendemos que o cristão deve olhar as pessoas consciente de seu dever de tratá-las respeitosa e decentemente. "Não devam nada a ninguém, a não ser o amor de uns pelos outros" (Rm 13.8). Jamais chegaremos à verdadeira humildade se não honrarmos o próximo do mais profundo do coração. Assim, quando percebemos algum dom de Deus em alguém, "não devemos estimar somente o dom, mas também o seu possuidor, pois seria uma maldade de nossa parte roubar de nosso irmão a honra que lhe tem sido dada por Deus".[6]

A fé cristã ensina que cada um deve olhar seu irmão como se fosse superior a si mesmo (Fp 2.3). Nossa postura deve ser de honrar nosso irmão, e não esperar ser honrado por ele. Esse é o preceito da paz. Sobretudo em momentos de tensão relacional, é importante refletir e fazer o possível para viver em paz com todos. Se nos lembrarmos de algum débito com nosso irmão, devemos largar o que estivermos fazendo e buscar primeiro a reconciliação (Mt 5.25).

8
Ame, não devore

Implicações éticas da liberdade cristã

> Vocês, irmãos, foram chamados para viver em liberdade. Não a usem, porém, para satisfazer sua natureza humana. Ao contrário, usem-na para servir uns aos outros em amor. Pois toda a lei pode ser resumida neste único mandamento: "Ame o seu próximo como a si mesmo". Mas, se vocês estão sempre mordendo e devorando uns aos outros, tenham cuidado, pois correm o risco de se destruírem.
>
> Gálatas 5.13-15

Não existe liberdade a partir de nós mesmos. Somos limitados, temporais, contingentes. O ser humano não tem vida em si mesmo, não criou a si mesmo, não é transparente a si mesmo, não pediu para existir e, portanto, não pode se esquecer da sua "criaturalidade": ele é criatura limitada, não Criador onipotente. Diante disso, não há sentido em falar de liberdade a partir de si mesmo. Os cristãos creem que a verdadeira liberdade está em Jesus Cristo. É nele, e apenas nele, que se origina a liberdade cristã. Jesus é apresentado como autoridade absoluta, e a prova está na ressurreição, que atesta quem ele afirmou ser: o Filho de Deus, o enviado de Deus Pai. Portanto, como cristãos, cremos conforme os ensinamentos da carta de Paulo aos gálatas:

Somos livres a partir de Jesus Cristo. A exemplo de Paulo (Gl 1.1), devemos nos submeter apenas aos comandos de

Jesus. A relação dos discípulos com seu Mestre, dos súditos com seu Rei, dos salvos com seu Redentor, das ovelhas com seu Pastor é direta. Não há nenhum mediador. Todo cristão é um sacerdote, ou seja, pode adorar a Deus em espírito e em verdade por meio de Jesus Cristo. O único compromisso absoluto do cristão é com Jesus Cristo. A liberdade cristã começa na servidão absoluta a Jesus Cristo.

Mas, como cristãos, também *somos livres da escravidão do pecado*. A libertação do pecado ocorre em três dimensões: somos libertos da penalidade do pecado (Jesus morreu na cruz em nosso lugar), somos libertos do poder do pecado (podemos viver uma vida sem pecado por meio do Espírito Santo) e seremos libertos da presença do pecado (quando Jesus voltar e nos encontrarmos com ele). A primeira dimensão é afirmada logo no início da carta. Somos informados de que Jesus "entregou sua vida por nossos pecados, a fim de nos resgatar deste mundo mau" (Gl 1.4).

Jesus morreu em nosso lugar, ou seja, a condenação que merecíamos por nossa desobediência a Deus foi assumida por Jesus, na cruz (Gl 3.13). A segunda dimensão é explicitada, sobretudo, na parte final da carta, quando Paulo explica que devemos viver pelo Espírito Santo (Gl 5.24-25). A terceira dimensão é indicada na conclusão, quando Paulo menciona o juízo vindouro, ou seja, a destruição de quem viveu para satisfazer sua natureza humana, e a vida eterna para quem viveu pelo Espírito (Gl 6.7-8).

Somos livres da escravidão da aprovação dos homens. O cristão é súdito apenas de Jesus. A opinião e aprovação humana deixam de ser prioridades em sua vida. Estamos livres da escravidão da opinião alheia (Gl 1.10). Quem quer agradar a homens não pode ser servo de Cristo. Um servo não pode se submeter a dois senhores. O cristão está focado no único que é digno de receber sua obediência: Jesus. Isso não significa que as pessoas não tenham valor ou importância, mas que esses elementos são secundários perante a autoridade suprema de Jesus Cristo.

Somos livres da escravidão da violência. Embora não reconheça nenhuma autoridade acima de Jesus Cristo, o cristão não deve tratar as pessoas com agressividade. Ao contrário, liberdade cristã significa libertação da escravidão da violência e da brutalidade. Antes de se tornar servo de Jesus, o religioso Paulo costumava ser agressivo, violento e perseguidor (Gl 1.13). Contudo, ao se tornar súdito de Jesus, o apóstolo foi liberto da violência e passou a anunciar amorosamente o evangelho de Jesus (Gl 1.23). A liberdade cristã anuncia a libertação de obras como hostilidade, discórdias, ciúmes, acessos de raiva, ambições egoístas, dissensões, divisões (Gl 5.20) para uma vida que frutifica amor, alegria, paz, paciência, amabilidade, bondade, fidelidade, mansidão e domínio próprio (Gl 5.22-23).

Somos livres da escravidão dos falsos irmãos. A fé cristã está alicerçada na verdade, que é Cristo (1Tm 3.15). Mas existem intrusos, mentirosos, falsos profetas e falsos irmãos, contra os quais devemos permanecer alertas, uma vez que eles se infiltram em nosso meio para espionar a liberdade que temos em Cristo Jesus e nos reduzir à escravidão (Gl 2.4). São pessoas descompromissadas com Deus, fiéis a si mesmas e que tentam reprimir, abafar e controlar nossa espiritualidade. O evangelho nos ensina a resistir-lhes, para a glória de Deus. A verdade nos liberta delas (Gl 2.5), por isso o verdadeiro cristão é completamente livre do ensinamento desses falsos profetas e do cerceamento provocado por esses falsos irmãos.

Somos livres da escravidão das aparências e da hipocrisia. No evangelho, a verdade é mais importante que as aparências.

Paulo foi liberto da escravidão das aparências: "Quanto aos que pareciam influentes — o que eram então não faz diferença para mim; Deus não julga pela aparência —, tais homens influentes não me acrescentaram nada" (Gl 2.6, NVI). Paulo fez o que tinha de fazer. Cada um prestará contas ao próprio Deus. O cristão descansa na certeza de que, embora as pessoas possam enganar umas às outras, ninguém pode enganar a Deus (Gl 6.7-8).

Ao libertar-se da hipocrisia, o cristão é capaz de ajudar os irmãos a alcançarem a mesma liberdade. O apóstolo Paulo, por exemplo, repreendeu o apóstolo Pedro por adotar um comportamento dúbio: perto dos cristãos judeus, ele se comportava como judeu; perto dos cristãos gentios, como cristão gentio. Ele agia de maneira hipócrita e "outros judeus imitaram a hipocrisia de Pedro, e até mesmo Barnabé se deixou levar por ela" (Gl 2.13). Ao repreendê-lo, Paulo ajudou-o a abandonar aquele comportamento.

Somos livres da autoescravidão. O evangelho de Jesus anuncia algo maravilhoso: já não somos controlados por nossos impulsos maldosos, mas pelo próprio Espírito de Deus. Aprendemos a não confiar no próprio esforço (Gl 3.3). Paulo escreveu: "Fui crucificado com Cristo; assim, já não sou eu quem vive, mas Cristo vive em mim" (Gl 2.20). Jesus Cristo era a vida da vida de Paulo: sua respiração, seu coração, seu raciocínio, sua linguagem. A vida cristã é a vida com Cristo no sentido mais pleno. No entanto, isso não significa que nossa personalidade é anulada, mas que passa a conformar-se à imagem de Jesus. Esse é o propósito de Deus para nós (Rm 8.29).

Somos livres da escravidão das divisões. Muitas pessoas são escravas de contendas, acalentam um espírito beligerante, ácido, mas Jesus não apenas nos liberta de nós mesmos como também nos une a ele junto com nossos irmãos e irmãs, independentemente de etnia, cultura e momento histórico. Esse foi o propósito divino desde o início (Gl 3.14). A fé cristã proclama a libertação de todo tipo de divisão e limitação humana (Gl 3.27-28), razão por que o conceito de cidadão universal encontra nela seu ápice.

Em Cristo já não há divisão baseada em nacionalidade, etnia ou clãs. Não há judeu nem grego. Não há divisão linguística. Babel é desfeita. Fronteiras são eliminadas. A xenofobia, o racismo, o preconceito são extintos. Não há escravo nem livre. Não há hierarquia econômica, social ou cultural. Não há patrões nem empregados, chefes nem serviçais. Todos são servos do único Deus. Todos são um em Cristo Jesus. Não há homem nem mulher, pois somos um só corpo. Não há segregação. O sexismo é extirpado. A misoginia, erradicada. A igreja é a comunidade das novas criaturas, a família de Deus, o sinal do reino de Deus que será estabelecido.

Somos livres da escravidão dos princípios básicos deste mundo. Gálatas afirma que a liberdade cristã nos leva à maturidade da vida espiritual. O evangelho nos liberta das práticas religiosas rasas e primitivas: "éramos escravos dos princípios básicos deste mundo" (Gl 4.3). Paulo argumenta que o evangelho é capaz de nos livrar de compreensões simplistas e distorcidas sobre Deus e o sentido da vida. Antes de Cristo, os judeus eram escravos da lei, e os gentios, de seu estilo de vida pagão.

Somos livres da escravidão da orfandade espiritual. O evangelho anuncia a liberdade da escravidão do pecado e da condenação, e a adoção dos salvos pelo próprio Deus (Gl 4.6-7). O sentimento avassalador de inadequação termina, o anseio por conhecer nosso Criador é preenchido pela presença do Espírito de seu Filho dentro de nós. A fé cristã proclama uma transformação mística daqueles que são alcançados pela arrebatadora graça de Deus: "a todos que creram nele e o aceitaram, ele deu o direito de se tornarem filhos de Deus. Estes não nasceram segundo a ordem natural, nem como resultado da paixão ou da vontade humana, mas nasceram de Deus" (Jo 1.12-13).

Somos livres da escravidão de supostos deuses. Somos livres de toda escravidão da idolatria. Os gálatas estavam à mercê do panteão greco-romano de deuses ilusórios, por isso Paulo lhes escreveu: "Antes de conhecerem a Deus, vocês eram escravos de supostos deuses que, na verdade, nem existem. Agora que conhecem a Deus, ou melhor, agora que Deus os conhece, por que desejam voltar atrás e tornar-se novamente escravos dos frágeis e inúteis princípios básicos deste mundo?" (Gl 4.8-9). Quando não conhecemos a Deus nos voltamos a todo tipo de ídolos: sejam seres mitológicos, sejam seres de carne e osso, sejam ideias, sejam objetos. Paulo, porém, nos assegura de que o evangelho nos liberta da idolatria.

Somos livres da escravidão do tempo. Os dias são maus e não têm poder para perdoar pecados. A ideia de deixar o tempo passar a fim de que tudo se resolva não é cristã. O tempo não pode nos salvar. Somente Cristo pode. Quem morreu na cruz foi Cristo, não Cronos. A observância de calendários rituais não é capaz de salvar (Gl 4.10). A vida eterna é oferecida apenas em Cristo Jesus, que "entregou sua vida por nossos pecados, a fim de nos resgatar deste mundo mau, conforme Deus, nosso Pai, havia planejado. Toda a glória a Deus para todo o sempre! Amém" (Gl 1.4-5).

Somos livres da escravidão da própria escravidão. O cristão é servo apenas de Cristo, por causa de Cristo, e não da escravidão em si. Foi para a liberdade que Cristo nos libertou (Gl 5.1).

O texto de Gálatas não pode ser mais claro. Portanto, quando o cristão se autodenomina "servo de Cristo" ou "escravo de Cristo", não significa que está prestando um serviço involuntário e funesto, como se Jesus precisasse dele. Em vez disso, quando o cristão se autodenomina "escravo de Cristo", o faz no sentido elevado do servo que voluntária, feliz e graciosamente se compromete com todo amor a servir a Jesus Cristo, o único Senhor digno de toda obediência.

Jesus estabeleceu com seus seguidores uma relação baseada no amor: "Eu os amei como o Pai me amou. Permaneçam no meu amor" (Jo 15.9). A alegria de Jesus não é a obediência servil de seus discípulos, mas a obediência amorosa: "Quando vocês obedecem a meus mandamentos, permanecem no meu amor, assim como eu obedeço aos mandamentos de meu Pai e permaneço no amor dele" (Jo 15.10). O objetivo de Jesus era levar os discípulos a uma vida de completa alegria e amor: "Eu lhes disse estas coisas para que fiquem repletos da minha alegria. Sim, sua alegria transbordará! Este é meu mandamento: Amem uns aos outros como eu amo vocês" (Jo 15.11-12).

Jesus demonstrou seu amor pelos discípulos ao entregar a própria vida por eles: "Não existe amor maior do que dar a vida por seus amigos" (Jo 15.13). Jesus deseja o amor e a amizade de seus discípulos, não a obediência forçada (Jo 15.14). Deixa claro seu desejo de construir um relacionamento amoroso com eles (Jo 15.15). Amigo é diferente de escravo, que trabalha sem que o senhor lhe explique seus objetivos, seus projetos, seus sentimentos. O evangelho, portanto, aniquila toda forma de escravidão pela escravidão, todo tipo de autoflagelo, toda espécie de religiosidade legalista. Nada disso é suficiente para salvar o homem. Apenas Deus é capaz de salvar o homem e transformá-lo em nova criatura.

Somos livres da escravidão da religiosidade legalista. Trata-se de um tema que se destaca na carta de Paulo aos gálatas. O evangelho anuncia a plena libertação do cristão da religiosidade baseada nas leis israelitas, uma vez que elas foram completamente satisfeitas na pessoa de Jesus Cristo. Sua obra na cruz foi plena e definitiva. Nenhuma obra humana é necessária. Por isso, os cristãos gálatas precisavam viver pela fé em Jesus, e não pelo esforço de praticar as leis israelitas: "sabemos que uma pessoa é declarada justa diante de Deus pela fé em Jesus Cristo, e não pela obediência à lei. E cremos em Cristo Jesus, para que fôssemos declarados justos pela fé em Cristo, e não porque obedecemos à lei. Pois ninguém é declarado justo diante de Deus pela obediência à lei" (Gl 2.16).

Nesse único versículo, Paulo reitera três vezes que a salvação é somente pela fé em Cristo, e não pelas leis religiosas: a primeira vez é uma constatação genérica: "uma pessoa é declarada justa"; a segunda, uma aplicação pessoal: "para que fôssemos declarados justos", e a terceira, uma expectativa absoluta: "ninguém é declarado justo".

Todas as religiões e todas as leis religiosas são incapazes de nos transformar: "É evidente, portanto, que ninguém pode ser declarado justo diante de Deus pela lei. Pois as Escrituras dizem: 'O justo viverá pela fé'" (Gl 3.11).

Esses aspectos da liberdade em Cristo e sua magnitude nos levam a refletir sobre as implicações éticas da liberdade cristã. A primeira delas é que *liberdade cristã não consiste em licença para transgredir, mas em oportunidade para servir.* Devemos evitar um erro básico: utilizar a liberdade como pretexto para satisfazer os desejos maldosos que ainda habitam em nós. A Bíblia diz que fomos chamados para viver em liberdade, não para que a usemos a fim de satisfazer a natureza humana. Em vez disso, devemos servir uns aos outros em amor. A expressão "natureza humana" refere-se nesse contexto a nossa inclinação para o pecado. Paulo deixa claro que a liberdade cristã não é licenciosa, mas abre espaço para o serviço a Deus e ao próximo, com amor (Gl 5.13).

Aqueles que estão em Cristo permanecem sob a lei do amor, uma vez que o amor resume toda a lei (Gl 5.14). A fé em Deus precisa manifestar-se na vida prática. O vício do legalismo consiste em incluir o mérito humano no quadro, diminuindo ou anulando a operação de Deus em nós. A virtude da graça é mostrar que o homem não é nada e nada pode sem a ação do Espírito Santo. O desafio está em não crer em uma "graça barata", também confundida com licenciosidade.

Jesus ensinou que quem vive pecando é escravo do pecado (Jo 8.34). Liberdade, portanto, é a libertação da vontade inerente à natureza humana, da autocentralidade do eu, a fim de abrir-se para amar a Deus e o próximo. A verdadeira liberdade só é alcançada quando "perdemos" a própria vida (Mc 8.35). "É a liberdade de ser o meu eu verdadeiro, como Deus me fez e planejou que eu fosse. Mas Deus me fez para amar, e amar é dar, dar de si. Portanto, para que eu seja eu mesmo, tenho de negar-me a mim mesmo e dar de mim em amor a Deus e aos outros. A fim de ser livre, tenho de servir."[1]

Em última análise, a liberdade cristã se expressa no serviço mútuo: "sirvam uns aos outros mediante o amor". Paulo diz aos gálatas que a verdadeira liberdade tira o cristão do egoísmo e o leva a servir seu irmão em amor: todos trabalham por todos. "A lei de Deus é a lei do amor, e o amor não se ergue acima dos outros, mas sacrifica-se aos outros."[2]

A segunda implicação ética é que *o amor crucifica o egoísmo devorador*. Sem amor, o ego humano devora tudo que o rodeia.

A vontade maligna impressa na natureza humana pode criar uma base de operações destrutiva na vida da pessoa: "se vocês estão sempre mordendo e devorando uns aos outros, tenham cuidado, pois correm o risco de se destruírem" (Gl 5.14-15). Quando a lei do amor não controla o comportamento, somos bestializados. O amor precisa habitar o ser humano, ainda que em pequeno grau, pois sem os freios do amor o egoísmo não só consome tudo que nos rodeia como também termina por nos consumir. O amor de Deus em nós é a força para a superação do egoísmo. E é a derrocada do egoísmo que nos permite abrir-nos para o próximo e para o próprio Deus.

A terceira implicação ética é que *o mandamento individual "ame o seu próximo como a si mesmo" possui uma dimensão coletiva*, o que significa ir além da discussão sobre a mutualidade do amor, que nada mais é que a prática efetiva do amor de uns aos outros. A dimensão coletiva do mandamento de amar o próximo diz respeito também à responsabilidade comunitária da igreja na prática do amor. Significa que a fé cristã é completamente coletiva, gregária, comunitária. Todo pão é nosso pão, toda alegria é nossa alegria, toda dor é nossa dor, toda responsabilidade é nossa responsabilidade.

É muito significativo que Paulo tenha citado Levítico 19.18 no contexto totalmente coletivo da carta aos gálatas. Outras citações neotestamentárias do mandamento do amor ao próximo podem ser aplicadas coletivamente, mas em Gálatas a principal tônica da aplicação é coletiva. O que está em jogo é a situação caótica da igreja, cujos membros estão desnorteados devido ao falso ensino dos legalistas. A exortação de Paulo é coletiva porque o problema a ser resolvido é coletivo. É muito interessante que o mandamento "Ame o seu próximo como a si mesmo", em sua forma singular, apareça em meio de termos sempre plurais: irmãos, vocês, sirvam uns aos outros, vocês se mordem e se devoram uns aos outros.

Essa observação aparentemente simples tem implicações bastante extensas para as comunidades cristãs em geral, mas focaremos apenas um ponto: a necessidade de as igrejas locais amarem e servirem umas às outras. Cada igreja deve amar sua próxima como a si mesma. Infelizmente, comunidades cristãs que deveriam ser exemplos de amor e sinais visíveis do reino de Deus lutam entre si por poder, dinheiro, prestígio humano. São rebanhos metamorfoseados em alcateias. Quando lobos habitam o aprisco, as ovelhas são devoradas. Igrejas desamorosas e insensíveis muitas vezes agem com motivações incorretas: vazio ou sentimento de culpa, competição, empreguismo, modismo, disponibilidade de verbas, isca "evangelística", manipulação política, ocupação de espaços ociosos, ideologias (quer políticas, quer religiosas).[3]

A igreja não deve alimentar a ideia de grupo fechado, uma das características centrais das seitas. Quando alguém não próximo dos discípulos usou o nome de Jesus para expulsar espíritos imundos, João o censurou: "nós o proibimos, pois ele não era do nosso grupo" (Mc 9.38). João pensava ser dono de Jesus e, em nome da comunidade, impediu uma boa ação. Jesus, porém, o corrigiu: "Não o proíbam!". Os discípulos não devem alimentar ideias mesquinhas: "Quem não é contra nós é a favor de nós" (Mc 9.40).

A igreja não deve se degradar em uma comunidade orientada por picuinhas, pois a mentalidade de competição e de prestígio não tem espaço em uma comunidade genuinamente cristã. Quando os discípulos discutiram entre si pelo primeiro lugar, foram repreendidos por Jesus (Mc 9.35). Não há lugar na igreja para ideais de superioridade. Quando os samaritanos não quiseram receber Jesus, os discípulos pensaram em destruí-los (Lc 9.54), e mais uma vez foram advertidos por Cristo (Lc 9.55).

A reação de Jesus aos samaritanos exemplifica a atitude que a igreja deve adotar em relação a todas as formas de perseguição religiosa. Embora os samaritanos tivessem um culto completamente equivocado e fossem intolerantes com os discípulos, "o Senhor não os retaliou. Ele veio para salvar, e não para destruir; portanto, sua reação foi a graça, e não a fúria destruidora".[4]

A quarta implicação ética diz respeito à necessidade de levar a sério o alerta de que *igrejas egoístas colherão destruição*. Ou seja, nossas ações têm consequências. O apóstolo Paulo utiliza uma imagem forte para expressar as consequências da desobediência à lei do amor: "se vocês estão sempre mordendo e devorando uns aos outros, tenham cuidado, pois correm o risco de se destruírem". A imagem é de animais selvagens atacando-se e matando-se brutalmente.

Trata-se de uma representação crua da desordem total, da mútua destruição. É o que acontece quando igrejas — que deveriam ser piedosas, misericordiosas e amorosas — se deixam dominar pela vontade inerente à natureza humana, pelo egoísmo, pela competição (Pv 30.11-14; Mq 3.1-3). Charles Spurgeon afirmou que "a bondade e o amor fraternal harmonizam melhor com o reino de Cristo. Não devemos estar sempre em busca de heresias nem tão confiados em nossa própria infalibilidade que preparemos fogueiras eclesiásticas para queimar os que diferem de nós, usando lenha de prejuízos extremados e suspeitas cruéis".[5]

No texto de Gálatas 5.14-15, é importante observar a escalada agressiva: *vocês estão mordendo e*, depois, *devorando uns aos outros*, para culminar em *se destruírem*. Isso mostra que os relacionamentos podem deteriorar-se até a completa destruição, revelando uma "atitude típica daquele que persiste na perversidade".[6]

Quando um grupo precisa conviver, trabalhar junto, caminhar na mesma direção, é indispensável o esforço conjunto de superação de egos. É preciso boa vontade mútua.

A quinta implicação ética mostra que o *amor cristão só é possível na dimensão mística do Espírito*. A ética cristã integra comportamento à espiritualidade. Em Gálatas 5.16, Paulo diz: "deixem que o Espírito guie sua vida. Assim, não satisfarão os anseios de sua natureza humana". A ética cristã não é um mero conjunto de regras sobre o amor. Regras são importantes, mas insuficientes para transformar o ser humano. Todas as culturas criaram seus preceitos de defesa, suas formas mínimas de regulação da ordem social. Tudo para conter o ímpeto destruidor do egoísmo. Contudo, todas as leis do mundo são insuficientes para conter o egoísmo. A lei em si mesma ou a licenciosidade não traz entendimento entre as pessoas.

O evangelho afirma que somente o Espírito Santo pode mudar corações. Somente pelo Espírito Santo o cristão é capacitado a superar o próprio egoísmo em favor do outro. É o Espírito que muda a vida daquele que crê em Jesus. Aquilo que o legalista faz por obrigação, o cristão cheio do Espírito faz por amor e gratidão a Deus. Nada mais é simplesmente para satisfação própria, mas para servir ao outro e glorificar a Deus. O fruto do Espírito consiste principalmente em atitudes intensificadoras dos relacionamentos pessoais (Gl 5.22-23).

Em suma, somos livres para amar! O reino do amor, em vez de exaltar o esforço formal de obedecer a todas formulações da lei, leva o discípulo a cumprir espontaneamente toda a parte moral da lei.

Como cristãos, devemos amar as pessoas, e não as devorar.

9
Pelo Rei, pelo reino, por uma nova realidade

A lei régia do amor

....

Meus irmãos, como podem afirmar que têm fé em nosso glorioso Senhor Jesus Cristo se mostram favorecimento a algumas pessoas?

Se, por exemplo, alguém chegar a uma de suas reuniões vestido com roupas elegantes e usando joias caras, e também entrar um pobre com roupas sujas, e vocês derem atenção ao que está bem vestido, dizendo-lhe: "Sente-se aqui neste lugar especial", mas disserem ao pobre: "Fique em pé ali ou sente-se aqui no chão", essa discriminação não mostrará que agem como juízes guiados por motivos perversos?

Ouçam, meus amados irmãos: não foi Deus que escolheu os pobres deste mundo para serem ricos na fé? Não são eles os herdeiros do reino prometido àqueles que o amam? Mas vocês desprezam os pobres! Não são os ricos que oprimem vocês e os arrastam aos tribunais? Não são eles que difamam aquele cujo nome honroso vocês carregam?

Sem dúvida vocês fazem bem quando obedecem à lei do reino conforme dizem as Escrituras: "Ame seu próximo como a si mesmo". Mas, se mostram favorecimento a algumas pessoas, cometem pecado e são culpados de transgredir a lei.

Pois quem obedece a todas as leis, exceto uma, torna-se culpado de desobedecer a todas as outras. Pois

> aquele que disse: "Não cometa adultério", também disse: "Não mate". Logo, mesmo que não cometam adultério, se matarem alguém, transgredirão a lei.
>
> Portanto, em tudo que disserem e fizerem, lembrem-se de que serão julgados pela lei que os liberta. Não haverá misericórdia para quem não tiver demonstrado misericórdia. Mas, se forem misericordiosos, haverá misericórdia quando forem julgados.
>
> Tiago 2.1-13

....

Na carta de Tiago encontramos a última citação expressa ao mandamento para amar o próximo como a si mesmo de Levítico 19.18. No cânone do Novo Testamento, ela ocupa o primeiro lugar entre as chamadas cartas gerais ou cartas universais, assim denominadas porque não foram escritas originalmente para uma igreja em particular, mas para muitas igrejas.

O autor se identifica como "Tiago, escravo de Deus e do Senhor Jesus Cristo" (Tg 1.1). Tiago é a forma grega do nome hebraico Jacó. A maior parte dos biblistas o relaciona com o eminente líder da igreja em Jerusalém (At 12.17; 15.13; 21.18; Gl 1.19; 2.9,12).[1] Ele exerceu papel importante no concílio de Jerusalém e foi considerado por Paulo um dos pilares da igreja, ao lado de Pedro e João.

O autor da carta é possivelmente o mais velho dos meios-irmãos de Jesus,[2] citados em Mateus 13.55 e Marcos 6.3. Embora Tiago tenha rejeitado Jesus no início (Jo 7.5), creu no Cristo ressurreto, de quem foi uma de suas testemunhas oculares (1Co 15.7). A informação mais antiga sobre a morte, por apedrejamento, de Tiago nos é dada pelo historiador judeu Flávio Josefo.[3]

A carta de Tiago é endereçada "às doze tribos espalhadas pelo mundo" (Tg 1.1). O texto é conhecido por seu amplo convite à ação: a fé não é uma declaração puramente verbal, mas prática. "Não se limitem, porém, a ouvir a palavra; ponham-na em prática. Do contrário, só enganarão a si mesmos" (Tg 1.22).

Tiago afirma categoricamente que Levítico 19.18 é a *lei do reino*, à qual devemos ser obedientes. O mandamento do amor ao próximo é entendido como uma lei suprema e obrigatória para todos que reconhecem a soberania de Jesus Cristo. Ao aplicar o vocabulário político às realidades espirituais, Tiago deixa evidente as implicações práticas da lei do reino:

1. *Soberania: Jesus Cristo é rei, e os cristãos são súditos.* Existe uma lei régia porque existe um rei, um legislador e um juiz: "Somente aquele que deu a lei é Juiz, e somente ele tem poder de salvar ou destruir. Portanto, que direito vocês têm de julgar o próximo?" (Tg 4.12). Jesus é identificado como autoridade soberana, o glorioso Senhor, o *kyrios*, enquanto o crente é compreendido como seu súdito, seu servo. Essa é a lição da primeira linha da carta.

Jesus é o Senhor de um só reino espiritual, e seus servos estão neste momento espalhados pelo mundo (Tg 1.1). Em 2.5 e 2.8, Tiago refere-se ao reino no sentido salvífico, aquele sobre o qual Cristo governa e que um dia será estabelecido definitivamente entre os homens. Jesus é Rei dos reis e Senhor dos senhores, título que enfatiza sua soberania absoluta sobre todos os governantes humanos. A glória de Jesus Cristo é corroborada em todas as páginas das Escrituras: ele não tem começo nem fim (Ap 1.17-18), é o Deus de toda a terra (Is 54.5), é o Criador de todas as coisas, e todas as coisas foram feitas por intermédio dele, por ele e para ele (Cl 1.16).

2. *Igualdade cristã: tratar a todos com decência e justiça.* Todos os súditos são iguais diante do rei Jesus, o que equivale a dizer que todos merecem o mesmo apreço e consideração: "Meus irmãos, como podem afirmar que têm fé em nosso glorioso Senhor Jesus Cristo se mostram favorecimento a algumas pessoas?" (Tg 2.1). Apenas Cristo é soberano e como tal deve ser tratado.

A incompatibilidade da fé cristã com o favoritismo interpessoal é de simples entendimento: agir com parcialidade é perverso porque não reflete a visão de Deus das pessoas, pois em Deus não há parcialidade (Rm 2.11). A Bíblia condena todo tipo de favorecimento interpessoal (Lv 19.15). O caráter de alguém não se mede pela quantidade de bens possuídos, mas por seu relacionamento com Deus e com o próximo. Por isso, o favoritismo com base na posição social consiste em grave violação da lei do reino, que ao contrário ordena o amor sincero ao próximo. Discriminar é violar a lei do amor.

Tiago exemplifica a parcialidade no tratamento interpessoal: se "alguém chegar a uma de suas reuniões vestido com roupas elegantes e usando joias caras, e também entrar um pobre com roupas sujas". A cena é atemporal e plausível em qualquer reunião cristã, em qualquer continente e em qualquer época da história. Tiago prossegue: "e vocês derem atenção ao que está bem vestido, dizendo-lhe: 'Sente-se aqui neste lugar especial', mas disserem ao pobre: 'Fique em pé ali ou sente-se aqui no chão', essa discriminação não mostrará que agem como juízes guiados por motivos perversos?" (Tg 2.2-4).

Observe que Tiago não afirma que o homem é rico. Apenas o descreve como alguém que aparenta ser rico. A pessoa supostamente rica é descrita como alguém que ostenta "joias caras" e "roupas elegantes", enquanto a pessoa "pobre" é assim descrita por sua notória condição de pobreza. O foco de Tiago, no entanto, está na reação da igreja, que lança mão de critérios de julgamento errôneos com base na aparência das pessoas: primeiro, julgar as pessoas com base em aparências (1Sm 16.7). Segundo, supervalorizar a vestimenta de alguém. A conduta é mais importante que os enfeites exteriores (1Pe 3.3-4). Terceiro, seguir a lógica da bajulação e da hipocrisia. O que está em jogo para Tiago não é a honra devida a quem de direito, mas o pecado do favoritismo. Muitas igrejas podem se tornar interesseiras, afagar o ego dos ricos (ou dos que aparentam ser ricos), para seduzir os potenciais doadores de bens e obter todo tipo de benesses terrenas, afastando-se do ensino bíblico de que toda boa dádiva e todo dom perfeito vêm do alto (Tg 1.17). A expectativa e a esperança do cristão devem estar no próprio Deus, não nos poderosos da terra (Mt 23.6).

Quando cristãos começam a bajular os ricos e poderosos, colocam seu testemunho sob absoluta suspeita: são leais a Deus ou estão em busca de vantagens pessoais? O cristão é exortado a abandonar toda forma de egoísmo e inveja, a abandonar a cobiça e a oração por razões fúteis (Tg 4.3).

Quarto, desdenhar e desprezar o pobre. Não podemos desprezar alguém por sua aparência simples ou por ser materialmente pobre. Jesus mesmo foi desdenhado e rejeitado quando veio ao mundo (1Co 2.8), ponto sublinhado por Tiago: "Ouçam, meus amados irmãos: não foi Deus que escolheu os pobres deste mundo para serem ricos na fé? Não são eles os herdeiros do reino prometido àqueles que o amam?" (Tg 2.5). A advertência de Tiago é firme: "Mas vocês desprezam os pobres!".

Demonstrar favoritismo por razão social, cultural, financeira, étnica é crime espiritual, é transgressão da lei do reino.

Rejeitar o pobre, escolhido por Cristo, é rejeitar o próprio Cristo (Mt 25.31-46). Agostinho afirmou que esperamos "encontrar Cristo sentado no céu", mas deveríamos ser mais atentos e vê-lo "encostado à nossa porta; admirai-o no que tem fome, no que tem frio, no que nada tem, no que é estrangeiro".[4] Quando amamos o próximo sofredor, Cristo realiza a obra através de nós, de modo que tudo é dele, por ele e para ele.

3. *Liberdade cristã: exercer livremente a misericórdia*. A terceira implicação prática da lei do reino refere-se à necessidade do cristão de exercer sua liberdade em favor das pessoas, não contra elas, e de praticar livremente a misericórdia com todos. Tiago exortou: "lembrem-se de que serão julgados pela lei que os liberta. Não haverá misericórdia para quem não tiver demonstrado misericórdia" (Tg 2.12-13). Quando comparecermos diante de Deus, seremos julgados a respeito do amor. A Bíblia não oculta a realidade do inferno. Seremos julgados pela lei da liberdade, ou seja, somos livres para agir corretamente.

Tiago já havia mencionado a lei da liberdade no primeiro capítulo: "Se [...] observarem atentamente a lei perfeita que os liberta, perseverarem nela e a puserem em prática sem esquecer o que ouviram, serão felizes no que fizerem" (Tg 1.25). O juízo justo de Deus é claro nas Escrituras: ele não apenas é juiz, mas é o justo juiz e cada pessoa será julgada de acordo com o grau de entendimento que recebeu de Deus e de sua lei (Rm 2.12).

Se Jesus deixou claro a seus seguidores que o maior mandamento é amar a Deus e o segundo é amar ao próximo; se no Sermão do Monte ele disse que devemos amar os inimigos e orar por aqueles que nos perseguem; se a parábola do bom samaritano ensina que devemos nos solidarizar com os que sofrem; se a regra de ouro nos ensina a fazer aos outros aquilo que esperamos que eles nos façam; se Romanos ensina que o amor não pratica o mal contra o próximo; se Gálatas mostra que o amor é o propósito e a consumação da nossa liberdade; se Tiago reassegura que a lei do reino é amar o próximo e jamais discriminar e fazer acepção de pessoas; se há milênios a lei levítica já fixara que a vingança pertence ao Senhor e que nosso dever é amar o próximo como a nós mesmos, incluindo o amor aos estrangeiros, não resta dúvida: *amar é um mandamento!*

Por isso, não podemos tratar as pessoas com ódio e achar que ficaremos impunes. Não podemos ser ingênuos e achar que Deus não vê. O que devemos fazer é exercer a misericórdia em todos os aspectos da vida. Amar é o propósito da igreja: amar a Deus, amar as pessoas. Por isso está escrito: "Lembrem-se de que o Pai celestial, a quem vocês oram, não mostra favorecimento. Ele os julgará de acordo com suas ações. Por isso, vivam com temor durante seu tempo como residentes na terra" (1Pe 1.17).

Somos livres para falar o que quisermos, mas prestaremos conta de cada palavra. Podemos dizer aos pobres que se sentem no chão e aos que julgamos poderosos que se sentem no lugar de honra, mas um dia prestaremos conta disso (Mt 12.36-37). Também somos livres para tratar as pessoas como quisermos, mas prestaremos contas de nossas ações. Podemos ser educados com quem nos interessa e grosseiros com aqueles que nada possam nos oferecer, mas também responderemos por essas ações (Rm 14.10,12). Aquele que julga sem misericórdia hoje, será julgado sem misericórdia por Deus (Ef 4.32).

Devemos amar o próximo como a nós mesmos e demonstrar misericórdia. A misericórdia triunfa sobre o juízo! Portanto, "felizes os misericordiosos, pois serão tratados com misericórdia" (Mt 5.7).

4. Fraternidade cristã: amar o próximo como a si mesmo. A quarta e última implicação da lei do reino é a mais direta. Ser fraternos é a maneira correta de agir. Meu próximo é meu irmão: ou na solidariedade universal da raça humana em Adão, ou na solidariedade santificada pelo sangue de Jesus Cristo, o Novo Adão. "Sem dúvida vocês fazem bem quando obedecem à lei do reino conforme dizem as Escrituras: 'Ame seu próximo como a si mesmo'" (Tg 2.8). Esse é o ápice dos preceitos do reino.

Todos os mandamentos vêm de Deus e todos devem ser obedecidos plenamente. Quebrar a lei de Deus é desrespeitar o próprio Deus, que a estabeleceu. Os mandamentos são tão interconectados que violar um deles significa violar todos, "pois quem obedece a todas as leis, exceto uma, torna-se culpado de desobedecer a todas as outras. Pois aquele que disse: 'Não cometa adultério', também disse: 'Não mate'. Logo, mesmo que não cometam adultério, se matarem alguém, transgredirão a lei" (Tg 2.10-11). Nenhum de nós é capaz de obedecer integralmente à lei de Deus. Mas Jesus Cristo o fez por nós.

Assim como fomos justificados misericordiosamente por Cristo, devemos agir com justiça e misericórdia. Se Cristo nos justificou com sua misericórdia, como tratar as pessoas com um padrão diferente? O modo mais simples de obedecer à lei de Deus é lembrar-se da lei do reino: devo amar o meu próximo como a mim mesmo. Se, por um lado, violar um ponto significa violar toda a lei, por outro, obedecer à lei do amor é cumprir toda a lei. O amor é a constituição cristã. O reino de Jesus é o reino do amor.

Essas quatro implicações da lei do reino nos dão a dimensão de seu impacto em nossa realidade. A fé cristã entende que a igreja, a comunidade dos salvos, é a vanguarda do reino de Deus. Ou seja, a igreja é um vislumbre, um sinal do reino definitivo de Deus a ser estabelecido na volta de Jesus. Os cristãos vivem entre o "já" e o "ainda não". De um lado, o reino de Deus foi estabelecido através da vida, morte e ressurreição de Jesus Cristo, o Filho de Deus, em sua primeira vinda ao mundo ("já"). De outro, o reino pleno de Deus se consumará na segunda vinda de Jesus ao mundo ("ainda não"). Por isso Jesus nos ensinou a orar: venha a nós o teu reino!

Enquanto isso, a igreja foi chamada a testemunhar Jesus Cristo e seu evangelho a toda criatura. A igreja não foi chamada como juíza, nem advogada, mas simplesmente como testemunha de Jesus. Os discípulos nada podem fazer por si sós, mas dependem completamente do Espírito de Jesus (Jo 15.5). Portanto, para que seus seguidores sejam capazes de desenvolver o testemunho do evangelho, Jesus derramou seu Espírito Santo sobre eles. Os cristãos não devem desanimar, mas aguardar a volta do Senhor com paciência e amor (Tg 5.7), e essa espera não deve ser passiva, mas ativa, praticando a lei do reino até que ele venha.

Com base no ensino de Tiago 2.1-13, podemos apontar pelo menos três maneiras de a igreja praticar o amor ao próximo e, assim, anunciar a nova realidade que há em Cristo Jesus.

1. A primeira é *manifestar a justiça no interior da igreja como sinal do reino de Cristo*. A igreja precisa viver o evangelho em todas as suas implicações. O *Solus Christus* não pode ser separado do *Christus Totus*. O evangelho é Jesus Cristo, Senhor total, e ele exerceu obras de misericórdia e ensinou seus discípulos a fazerem o mesmo. A missão da igreja inclui a prática da misericórdia com os irmãos que enfrentam privações materiais. Essa dimensão missional é conhecida na tradição cristã como *diaconia*, palavra que significa serviço, ministério. Não

se deve distorcer a dimensão diaconal em detrimento da missão global cristã. A igreja não é mera instituição filantrópica, nem deve confundir sua missão completa, que é glorificar a Deus (*liturgia*), anunciar o evangelho (*kerigma*), vivenciar a comunhão (*koinonia*), pastorear as ovelhas do Senhor (*poimenia*), ensinar tudo que o Senhor ordenou (*didaskalia*) e, assim, testemunhar o poder da salvação em Cristo (*martiria*).

A igreja é o corpo de Cristo, a família de Deus, e como tal precisa cuidar das emergências materiais de seus membros. Desde o início da igreja os cristãos mantinham-se unidos e tinham tudo em comum (At 2.44). Os apóstolos reuniam recursos e os distribuíam segundo a necessidade de cada um (At 4.35). Os primeiros cristãos recebiam as pessoas sofredoras de todas as partes e cuidavam delas como Jesus havia ensinado (At 5.16). O serviço às pessoas mais carentes tornou-se tão intenso que os apóstolos ficaram sobrecarregados e, por isso, foram separados sete homens cheios do Espírito Santo e de sabedoria (At 6.1-6) para executarem o serviço [*diakonia*] das mesas (At 6.2). Desde então, a diaconia foi estabelecida no interior da igreja cristã como serviço de amor ao próximo, estruturado e exercido comunitariamente.

Tiago, um dos apóstolos cristãos que enfatizou veementemente o serviço diaconal, é também conhecido como Tiago, o justo, por sua devoção pela justiça.[5] Ele combate firmemente os ricos exploradores (Tg 1.9-10; 4.6,10; 5.1-6). O apóstolo Paulo, por exemplo, afirma que, ao encontrar-se com Tiago, Pedro e João em Jerusalém, eles lhe pediram que se lembrasse dos pobres (Gl 2.10). Com essa atitude, Tiago e os apóstolos cristãos continuaram o ministério de Jesus (Lc 4.18; Lc 6.20).

Já no Antigo Testamento, os pobres, os solitários, os desamparados e os vulneráveis são alvos da compaixão de Deus

(Dt 27.19; Mq 6.8; Sl 10.17-18). No Novo Testamento, os cristãos compreendem que o cuidado com os pobres, ainda que não seja elemento redentor, é um indicador externo que revela se o amor de Deus é o princípio que domina o coração do crente. Por isso, Tiago diz que a "religião pura e verdadeira aos olhos de Deus, o Pai, é esta: cuidar dos órfãos e das viúvas em suas dificuldades e não se deixar corromper pelo mundo" (Tg 1.27).

O grito do pobre sobe até Deus, mas não chega aos ouvidos do homem. A igreja deve ser os ouvidos e os braços de Jesus no auxílio a esse clamor, priorizando os irmãos na fé (Gl 6.10). Não há lugar para injustiça dentro da igreja: "no seio da comunidade dos crentes não deve haver uma forma de pobreza tal que sejam negados a alguém os bens necessários para uma vida condigna".[6]

2. A segunda maneira de a igreja praticar o amor ao próximo é *protestar contra as injustiças com o amor do reino de Cristo*. As obras das trevas devem ser denunciadas e expostas à luz (Ef 5.11). Deve-se seguir, por exemplo, a conduta corajosa da laureada jornalista Susana Berbet, que denunciou os abusos que ocorrem, ainda hoje, na exploração de mão de obra escrava entre empresas de vestuário.[7] Ela não apenas visou objetivos nobres, mas agiu por meios nobres. Infelizmente, nem todos os "protestantes" (no sentido amplo do termo) por justiça social agem por meios dignos. Se o alvo é nobre, mas a ação ignóbil, a finalidade se perde. Portanto, a atuação dos cristãos perante as grandes injustiças do mundo deve basear-se completamente no amor de Jesus. Afinal, o objetivo de Deus é que sejamos conformes à imagem de seu Filho (Rm 8.29), e Jesus era manso e humilde de coração (Mt 11.28-30). O corpo de Jesus macerado e quebrantado na cruz é o amor de Deus exposto por nós.

A luta dos cristãos por justiça é também um testemunho da nova realidade que o evangelho anuncia. Entretanto, se não houver amor, de nada valerá a ação mais revolucionária (1Co 13.3). Que adianta salvar o mundo inteiro e perder a alma? Que adianta ajudar o mundo inteiro e perder o amor? Que adianta fazer o bem ao mundo inteiro e não conhecer o supremo Bem, que é Deus?

Protestar é prerrogativa de qualquer pessoa, mas o cristão é chamado a ir além da crítica pela crítica. Ele é chamado para salgar, iluminar e espalhar o bom perfume de Cristo. E o modo de fazê-lo é pela lei do reino, amando o próximo como a si mesmo. O amor guarda o coração da amargura. O caminho amoroso de Jesus não se deixa azedar pelos dissabores da vida. Para o cristão, no combate à injustiça e na promoção das obras de misericórdia, deve existir o equilíbrio pautado no amor.

A igreja é portadora de boas notícias e jamais deve perder sua essência amorosa. Ela deve servir às pessoas para a glória de Deus, com toda alegria, pois o amor é paciente, bondoso, não inveja, nem se vangloria ou orgulha. Não maltrata, não procura os próprios interesses, não se ira facilmente, nem guarda rancor. O amor não se alegra com a injustiça, mas sim com a verdade (1Co 13.4-6). Deus não apenas nos tira do inferno; ele tira o inferno de dentro de nós.

3. A terceira maneira de a igreja praticar o amor ao próximo é *compreender que o culto cristão é um protótipo do reino de Cristo*. Tiago levanta um aspecto urgente relativo às reuniões feitas pelos cristãos: o culto cristão deve ser um testemunho do reino de Deus para a sociedade. O espaço do culto cristão rompe com o princípio estrutural de dominação e violência que caracterizam a sociedade alienada de Deus. Jesus estabeleceu na

igreja um novo princípio de relações interpessoais baseado no amor, e não na dominação violenta (Mc 10.42-44).

Na igreja de Cristo não existe um *ethos* de dois níveis, ou seja, pessoas superiores às outras. Todos se reconhecem pecadores salvos pela graça de Deus. Essa unidade em amor na adoração pública a Deus é ao mesmo tempo uma exaltação do evangelho de Jesus Cristo e uma denúncia ao pecado do mundo. O culto é, na vida terrena, o lugar em que se reúnem os que foram trazidos para o reino do Filho (Cl 1.13). Portanto, o culto cristão deveria levar o mundo a se reorientar, a redescobrir seu sentido e a compreender o próprio futuro como algo que reside nas mãos de Deus. Ao encarnar os valores do reino de Deus, a igreja apresenta o que o mundo não sabe fazer, ou não consegue cumprir.

No culto, a igreja anuncia sua única esperança, que é Jesus, e renova sua aliança com Deus. A motivação para o culto é sempre o próprio Deus, "não porque isso nos traz felicidade, nos preenche, promova a unidade da família, ou traga unidade religiosa à nossa nação ou grupo étnico".[8] Deus é digno de receber nossa adoração pelo que ele fez, faz e fará, e por quem ele é (Rm 16.27).

A afirmação dessas gloriosas verdades, selada com a presença do Ressurreto e o testemunho do amor mútuo, causa ressonância imediata em toda a sociedade. Oscar Cullmann disse que toda vez que a igreja exalta e adora a Deus relembra ao Estado a natureza limitada e provisória do seu poder.[9] Se o Estado tem a pretensão de exigir submissão e obediência absoluta, o culto cristão deve protestar contra essa reivindicação para si de uma autoridade que pertence exclusivamente a Deus. Assim, o culto a Deus em espírito e em verdade é a nota mais alta da vida cristã, é o cumprimento do primeiro e maior mandamento: amar a Deus de todo o coração. Se o culto a Deus cessa, a comunidade morre, pois já não ama a Deus.

Quando Deus é adorado em verdade, o culto público torna-se um testemunho da fé cristã não apenas em conteúdo e forma vertical (adoração pública de Deus), mas também em conteúdo e forma horizontal (amor ao próximo e misericórdia). No culto, a igreja não deve tratar o pobre com desprezo, pois isso é um insulto ao próprio Deus (Pv 14.31). A acepção de pessoas, a discriminação aos pobres e o favoritismo aos poderosos não é culto a Deus, mas culto a homens e suas cobiças, culto a demônios e culto a *mamon*.

Cada vez que se reúne para celebrar o culto, para anunciar a morte do Senhor (1Co 11.26), a igreja proclama o fracasso e a inadequação do mundo. Por isso, as reuniões cristãs não podem reproduzir as injustiças da sociedade alienada de Deus. A igreja não apenas tem uma missão, ela *é uma missão*. O alvo da missão (que temos e somos) é tornar-nos mais humanos, não mais religiosos. Só podemos ser mais humanos a partir de Jesus Cristo, o último homem, o modelo de humanidade que devemos ser. Portanto, não basta reunir cristãos, que podem ser apenas nominais, devemos nos reunir *como* cristãos. Em um culto genuinamente cristão, Jesus não é apenas uma parte do sermão, mas o culto por inteiro. Toda a reunião prega Cristo!

Os inimigos da igreja conhecem o poder estrondoso que irrompe a partir do culto ao Cristo ressurreto. Por isso, as reuniões cristãs devem ser realizadas com todo o zelo e amor. Essa preocupação está presente no Novo Testamento e em inúmeros documentos da igreja primitiva.[10]

Desde muito cedo o preceito estabelecido por Jesus em Mateus 5.23-26 era levado a sério pelos cristãos: o culto era lugar de confissão, de perdão, de reconciliação, de arrependimento, de adoração genuína a Deus. Não há espaço para arrogância na vida cristã (1Co 4.7). Embora, em certo sentido, tudo na igreja seja culto e a própria vida cristã seja um culto contínuo, o culto cristão *deve ser principalmente um sinal visível ao mundo da glória do evangelho de Jesus.*

O amor é a fortaleza que impede que as ondas do ódio se abatam sobre toda a terra. O amor de Jesus Cristo é nossa própria vida. Como o coração pulsa por sístole e diástole, a fé cristã pulsa por amor a Deus e ao próximo.

Palavras finais

O clichê *amor é amor* pode captar parte do espírito da época, e quem lê ou ouve essa expressão sem compreender o cenário cultural do início do século 21 pode não perceber suas entrelinhas. Mas *amor é amor* tem um significado claro no mundo contemporâneo: representa uma variação melancólica do *carpe diem* (aproveite o dia, curta a vida), escorregando, às vezes, para um tom sarcástico e até mesmo niilista, vazio de valores e de significado.

É evidente que palavras humanas isoladas são suscetíveis a todo tipo de distorção e instrumentalização. É igualmente óbvio que um conceito oco como *amor é amor* pode ser preenchido com inúmeras definições. No entanto, não deixa de ser curioso que uma expressão que utiliza duas vezes a palavra amor seja usada hoje como ferramenta para manifestar melancolia, tristeza e até mesmo orgulho, ódio e indiferença. Basta ver o que é postado nas redes sociais sob a *hashtag* #loveislove.

Contrariamente, na fé cristã o amor é definido a partir da entrega, da renúncia, da doação, do dom, do sacrifício do próprio Deus em favor de seres humanos pecadores, orgulhosos, não merecedores de misericórdia:

> Amados, continuemos a amar uns aos outros, pois o amor vem de Deus. Quem ama é nascido de Deus e conhece a Deus. Quem não ama não conhece a Deus, porque Deus é amor.
>
> Deus mostrou quanto nos amou ao enviar seu único Filho ao mundo para que, por meio dele, tenhamos vida. É nisto que consiste o amor: não em que tenhamos amado a Deus, mas em que

ele nos amou e enviou seu Filho como sacrifício para o perdão de nossos pecados.

Amados, visto que Deus tanto nos amou, certamente devemos amar uns aos outros.

1João 4.7-11

Os "amados" são convocados a amar uns aos outros. João se inclui na tarefa amorosa: "Amados, continuemos a amar uns aos outros". Por que os cristãos são chamados de "amados"? Por que os cristãos são amavelmente convidados a se unirem na prática mútua do amor? Por que devem unir-se no "amemos uns aos outros"?

Ao longo dos últimos dois milênios, os cristãos têm compreendido que Deus é a fonte, o manancial de todo amor. O amor é a própria natureza do ser de Deus e por isso é inerente a tudo que ele é e faz, independentemente de agir com ira, justiça ou misericórdia.

Sem Deus, é impossível amar, pois só quem o conhece é capaz disso. O texto de 1João afirma que aquele que não ama não conhece a Deus. Ele é conhecido porque é uma pessoa, *alguém*, e como tal é um *ser* pessoal, relacional. Mas antes de relacionar-se com o ser humano no tempo, o evangelho diz algo desconcertante: na profundidade de sua pessoa, Deus não é uma solidão infinita, mas uma relação eterna de amor entre Pai e Filho, o Filho unigênito, unidos em uma relação mútua de total doação.

O termo unigênito explicita o relacionamento único entre Deus Pai e Deus Filho, a condição única do Filho, sua preexistência e sua distinção da criação. Deus em si mesmo é uma relação de perfeito amor. Mesmo que o ser humano nunca tivesse existido, Deus seria igualmente amor.

Deus, no entanto, optou por manifestar seu amor entre nós ao enviar seu próprio Filho, Jesus, para sofrer a justa condenação que o ser humano merece pelo pecado e pela desobediência, e assim reconciliar-se com ele. O pecado é a rebelião contra Deus, a fonte de todo amor, e foi com esse amor que os seres humanos romperam.

Interessantemente, a Bíblia é o único livro sagrado que, ao mesmo tempo que afirma a pecaminosidade do gênero humano, sua consequente sujeição ao juízo de Deus e sua incapacidade de salvar a si mesmo, também revela a possibilidade de sua salvação pelo *amor do próprio Deus manifesto em seu autossacrifício*. A morte de Jesus Cristo na cruz é a demonstração suprema do amor de Deus: o Pai derramou sua ira sobre seu Filho amado, em vez de fazê-lo sobre os pecadores (2Co 5.21). Esse é o cerne e a glória do evangelho. A cruz é a prova cabal do amor de Deus por nós. Deus, o Pai, entregou seu Filho Unigênito, e Deus, o Filho, entregou-se voluntariamente para salvar-nos da morte eterna e, assim, dar-nos vida eterna.

Na pessoa de Jesus Cristo, Deus se fez verdadeiramente nosso próximo. Ele viveu entre nós, como ser humano, mas sem pecado. A beleza do evangelho é esta: *Deus veio até nós*. A fé cristã declara uma mensagem descendente: não é o ser humano que vai em busca de Deus, mas o próprio Deus vem em busca do ser humano. O Filho de Deus se fez homem. A própria Vida que habita em Deus veio ao mundo e revelou aos seres humanos a identidade inatingível daquele que é (1Jo 1.2). Com isso, Deus se fez genuinamente nosso próximo, nosso irmão, nosso amigo, nosso Salvador (1Jo 1.3).

Mas Jesus é ao mesmo tempo Deus e homem, totalmente divino e totalmente humano. Deus saiu de Deus para se tornar homem. A majestade e magnitude de Jesus irradiam de sua santidade e amor. Em um mundo assolado por pecado, orgulho, ódio e violência, resplandecem a mansidão e a humildade de Jesus. Seu cuidado e sua compaixão com o ser humano revigoram nossa esperança e consolam nosso coração cansado. Jesus é o *Cristo*, ou seja, o ungido, aquele que foi enviado para a missão de nos salvar de nossos pecados.

É esse amor de Deus pela humanidade que nos leva a amar o semelhante. A cruz de Jesus Cristo não é apenas o instrumento de nossa salvação, é também nosso modelo de vida, pois, uma vez que Deus assim nos amou, nós também devemos amar uns aos outros. O texto de 1João 4.12-16 nos ensina como vivenciar plenamente esse amor divino:

> Ninguém jamais viu a Deus. Mas, se amamos uns aos outros, Deus permanece em nós, e seu amor chega, em nós, à expressão plena.
>
> Deus nos deu seu Espírito como prova de que permanecemos nele, e ele em nós. Além disso, vimos com os próprios olhos e agora testemunhamos que o Pai enviou seu Filho para ser o Salvador do mundo. Aquele que declara que Jesus é o Filho de Deus, Deus permanece nele, e ele em Deus. Sabemos quanto Deus nos ama e confiamos em seu amor.
>
> Deus é amor, e quem permanece no amor permanece em Deus, e Deus nele.

"Ninguém jamais viu a Deus", mas ele se fez visível em Jesus Cristo (1Jo 1.2). Jesus, Deus Filho, mostrou Deus Pai (Jo 14.9). Assim como o Filho tornou o amor de Deus Pai audível, visível e tangível (1Jo 1.1), a manifestação tangível de amor entre os amados, e a partir dos amados, torna Deus visível às pessoas.

Essa vida em amor só é possível porque o próprio Espírito de Deus permanece em nós. Por isso vimos e testemunhamos que o Pai enviou seu Filho para ser o Salvador do mundo. A singularidade da compreensão cristã de Deus reside na revelação de que Deus é um ser plural: Deus Pai, Deus Filho e Deus Espírito Santo estão eternamente unidos em amor. Deus é trinitário: ele é três pessoas. Cada pessoa é plenamente Deus, e há um só Deus.

O amor cristão é, portanto, trinitário, pois estamos agora unidos ao próprio Deus em amor: o Pai é a fonte do amor, Jesus é o modelo do amor e o Espírito é o capacitador do amor. E esse amor deve ser confessado diante de todos e de tudo. Não apenas com palavras, mas com ações (1Jo 3.18). O amor não é para ser compreendido apenas intelectualmente, mas vivido na prática. É para ser vivenciado, e só há uma maneira muito clara de fazê-lo: amando a Deus e o próximo. O amor de Deus é nossa certeza espiritual. Sabemos que ele age em tudo para o bem daqueles que o amam (Rm 8.28), dos que foram chamados de acordo com o seu propósito.

Sabemos em quem cremos e que nosso Redentor vive.

O amor é a suprema graça cristã. Por isso o nascido de Deus tem um volver intrínseco à convivência, saindo do "eu" e chegando ao "nós". Esse virar-se ao próximo é essencial à visão cristã do ser humano, pois conhecemos o amor que Deus tem por nós, e confiamos nesse amor.

Amém.

Notas

Uma palavra do autor

[1] Norberto Bobbio, filósofo não cristão, admite que a obra de caridade cristã é inigualável: "As pessoas que oferecem ajuda nas instituições de assistência são em geral pessoas religiosas, que fazem o que fazem por amor a Deus, não por temor a Deus. O amor a Deus é uma grande força. Isto sem falar dos missionários. O que leva missionários a regiões perigosíssimas da África para fundar escolas e hospitais? Muitos deles sacrificam a vida. [...] A concepção laica da vida tem uma grande dignidade, mas não leva a cumprir obras de caridade. Eu não cumpro obras de caridade. Uma coisa é falar, outra é agir". *Diálogo em torno da República: Os grandes temas da política e da cidadania* (Rio de Janeiro: Campus, 2002), p. 74, 80.

[2] O Greenpeace foi cofundado pelo casal de cristãos quacres pacifistas Irwing e Dorothy Stowe; a Anistia Internacional foi fundada pelo cristão católico Peter Benenson; a Cruz Vermelha foi fundada pelo cristão protestante Henry Dunant.

[3] Leonardo Fortunato Puga, "Perspectivas históricas da educação do cego", in: *Journal of Research in Special Educational Needs*, vol. 16, n.º s1, 2016, p. 823-826.

Capítulo 1

[1] A coleção de livros sagrados dos israelitas é a *Tanak*, também conhecida como Bíblia hebraica, Antigo Testamento ou Primeiro Testamento da Bíblia cristã. Essa coleção foi realizada ao longo do tempo: o povo israelita transcreveu, compilou e dispôs seus livros religiosos em três grandes grupos: Torá (Lei), Neviim (Profetas) e Ketuvim (Escritos), cujas primeiras letras de cada grupo formam o acróstico *Tanak*. A trajetória desses livros da Antiguidade ao período contemporâneo é digna de nota. Vale destacar o trabalho realizado pelos *soferim* (escribas), uma ordem de copistas eruditos que preservou os livros especialmente do século 5 a.C. ao século 2 d.C. O texto dos *soferim* era "consonantal", uma vez que a escrita antiga dos israelitas era baseada em 22 letras, todas consoantes. O texto foi "vocalizado" entre 500 e 900 d.C. pelos massoretas, estudiosos dedicados a preservar a tradição oral da vocalização e acentuação correta dos escritos

israelitas. A cópia integral mais antiga da *Tanak* massorética é o pergaminho conhecido como Códice de Leningrado, datado do ano 1008 d.C. (catalogado tecnicamente como *Firkovich B 19*). Esse códice, preservado na Biblioteca Pública de São Petersburgo, na Rússia, mantém acuracidade se comparado com trechos da *Tanak* de pergaminhos ainda mais antigos. Os acadêmicos contemporâneos utilizam como referência de estudo e como texto-base para traduções da *Tanak* a *Bíblia Hebraica Stuttgartensia* (BHS), que reúne o Códice de Leningrado e aparato crítico para fins de comparação com outros manuscritos antigos.

[2] Amós Oz, *Mais de uma luz: Fanatismo, fé e convivência no século XXI* (São Paulo: Companhia das Letras, 2017), p. 53.

[3] Aren M. Maeir, "Israel and Judah", *The Encyclopedia of Ancient History* (Nova York: Blackwell, 2013), p. 3523-3527. Ver também Niels Peter Lemche, *The Israelites in History and Tradition*, The Library of Ancient Israel, (Louisville, KY: Westminster John Knox Press, 1998), p. 35-38.

[4] Para simplificar o estilo e aproximar o texto da linguagem coloquial, utilizaremos neste livro os termos "israelita" e "judeu" como sinônimos, salvo indicação em contrário.

[5] Bari Weiss, *How to Fight Anti-Semitism* (Nova York: Crown, 2019), p. 188.

[6] A Torá é a primeira parte da Bíblia hebraica. Também é chamada de Lei, Moisés ou Pentateuco, por ser composta por cinco livros: *Bereshit* (Gênesis), *Shemot* (Êxodo), *Vayikra* (Levítico), *Bemidbar* (Números) e *Devarim* (Deuteronômio). Embora esses livros sejam primariamente uma instrução histórica com o objetivo de informar o leitor sobre o que aconteceu no passado, eles também cumprem o papel de apresentar a ética singular de Israel.

[7] David Starr-Glass, *Judaism* (Londres: Kuperard, 2009), p. 12.

[8] Resumido a partir de Jonathan Sacks, *Essays on Ethics: A Weekly Reading of Jewish Bible* (Jerusalém: Maggid, 2016), p. 5.

[9] Fábio Konder Comparato, *Ética: Direito, moral e religião no mundo moderno* (São Paulo: Companhia das Letras, 2006), p. 448.

[10] Sacks, *Essays on Ethics*, p. 192.

[11] William S. Sacks; David. A. Hubbard; Frederic W. Bush, *Introdução ao Antigo Testamento* (São Paulo: Vida Nova, 1999), p. 89.

[12] Ver Ivo Storniolo, *Como ler o livro do Levítico: Formação de um povo santo* (São Paulo: Paulus, 1995).

[13] Segundo Jonathan Sacks, o conceito de igualdade da Torá, especificamente, e do judaísmo, em geral, não está relacionado à igualdade bruta de prosperidade ou de poder: judaísmo não é comunismo nem anarquia.

Em vez disso, está fundamentalmente relacionado à dignidade. Todos são considerados cidadãos de uma nação cujo soberano é Deus. A estrutura econômica e política da nação israelita era organizada em torno do número sete, o símbolo da santidade: a cada sete dias havia um período de descanso do trabalho; a cada sete anos a produção espontânea do campo era para todos, e os israelitas pobres tinham suas dívidas perdoadas; a cada cinquenta anos (ano seguinte ao sétimo conjunto de sete anos) todas as terras deveriam retornar ao proprietário original. Dessa maneira, as desigualdades resultantes da liberdade eram mitigadas. A lógica de todas essas provisões é a afirmação divina de que "a terra jamais será vendida em caráter definitivo, pois ela me pertence. Vocês são apenas estrangeiros e arrendatários que trabalham para mim" (Lv 25.23). Deus tem o direito, e não apenas o poder, de colocar limites à desigualdade. Ninguém deve ter a dignidade roubada pela pobreza total, pelo endividamento impiedoso e pela servidão sem fim (*Essays on Ethics*, p. 192).

[14] David W. Pao; Eckhard J. Schnabel, "Lucas", in: G. K. Beale; D. A. Carson (orgs), *Comentário do uso do Antigo Testamento no Novo Testamento* (São Paulo: Vida Nova, 2014), p. 401.

[15] Os Dez Mandamentos são claramente o fundamento desses preceitos. Referências bíblicas: não se deve esculpir ídolos (19.4; Êx 20.3); não jurar falsamente em nome do Senhor (19.12; Êx 20.7); guardar o sábado (19.3; Êx 20.8-12); honrar pai e mãe (19.3; Êx 20.12); não ser omisso diante do risco de morte (19.16; Êx 20.13); não adulterar (19.29; Êx 20.14); não roubar (19.11,13; Êx 20.15); não mentir com falso testemunho (19.11; Êx 20.16).

[16] R. K. Harrinson, *Levítico: Introdução e comentário* (São Paulo: Vida Nova, 2006), p. 184.

[17] Stanley A. Ellisen, *Conheça melhor o Antigo Testamento* (São Paulo: Vida, 2007), p. 50.

[18] Bento XVI, Carta encíclica *Deus caritas est* (São Paulo: Loyola, 2006), p. 7.

Capítulo 2

[1] Rikk Watts cita como exemplos diretos dois textos dos Manuscritos do Mar Morto: o *Documento de Damasco* VI, 20-21, e a *1QRegra da Comunidade* I, 9-10; como exemplos indiretos: *1QRegra da Comunidade* II, 24; V, 25, e *1QRolo da Guerra* I, 1. Ver Rikk E. Watts, "Marcos", in: *Comentário do uso do Antigo Testamento no Novo Testamento*, p. 269.

[2] Paul Ricœur, *Amor e justiça* (São Paulo: Martins Fontes, 2012), p. 26.

[3] Will Durant, *The Story of Civilization, Vol. 3: Caesar and Christ* (Nova York: Simon & Schuster, 1944).

Capítulo 3

[1] Fábio Konder Comparato, em palestra na Faculdade de Direito da Universidade de São Paulo. Ver Fábio Konder Comparato, "O Direito como parte da ética", in: Alaôr Caffé Alves; Celso Lafer (et al.), *O que é a filosofia do direito?* (Barueri, SP: Manole, 2004), p. 8.

[2] Conforme Pao e Schnabel: "A combinação das ordens para adorar a um único Deus e amar o próximo pode ser identificada nas tradições judaicas (cf. Testamento de Issacar. 5.2; 7.6; Testamento de Dã 5.3; Filo, Das Leis Especiais 2.63), embora não ocorram como citações/alusões explícitas de Deuteronômio 6.5 e Levítico 19.18. A incerteza quanto à datação do Testamento dos Doze Patriarcas torna ainda mais difícil determinar se essas tradições datam de antes dos tempos de Jesus" (*Comentário do uso do Antigo Testamento no Novo Testamento*, p. 401). Ver também J. M. Creed, *The Gospel According to St. Luke* (Londres: Macmillan, 1930); F. Bovon, *L'Évangile selon Saint Luc*. CNT 3A, 3B, 3C (Genebra: Labor et Fides, 1991-2001); Leon L. Morris, *Lucas: Introdução e comentário* (São Paulo: Vida Nova, 2005), p. 177.

[3] Joachim Jeremias, *As parábolas de Jesus* (São Paulo: Paulus, 2004), p. 202.

[4] Warren W. Wiersbe, *Comentário bíblico expositivo: Novo Testamento*, vol. 1 (Santo André, SP: Geográfica, 2006), p. 274. Esse mesmo entendimento é encontrado em Simon J. Kistemaker, *As parábolas de Jesus* (São Paulo: Cultura Cristã, 2002), p. 166. Vale ressaltar que a estrada de Jerusalém para Jericó existe até os dias atuais, com cerca de 27 km.

[5] Ver 1Crônicas 28.21; 2Crônicas 34.30; 35.2-3,8,18; Esdras 2.70; 7.7,13; 8.15; 9.1; 10.5,18-22,25-43; Neemias 7.73; 8.13; 9.38; 10.28; 11.3,20.

[6] Klyne Snodgrass, *Compreendendo todas as parábolas de Jesus* (Rio de Janeiro: CPAD, 2012), p. 505.

[7] Os biblistas realizam um cálculo simples através de informações dos próprios evangelhos. A base está na narrativa da primeira multiplicação dos pães no evangelho de Marcos. Se tomarmos por base o cálculo de Marcos 6.37, veremos que era suficiente para pagar a refeição de 25 homens (5.000 dividido por 200 = 25).

[8] J. C. Ryle, *Meditações no Evangelho de Lucas* (São José dos Campos, SP: Fiel, 2002), p. 179-181.

[9] Rainerson Israel, *A coragem de ser para os outros* (Rio de Janeiro: [ed. do autor], 2013), p. 73.

[10] Wiersbe, *Comentário bíblico expositivo: Novo Testamento*, vol. 1, p. 276.

Capítulo 4

[1] Craig L. Blomberg, "Mateus", in: *Comentário do uso do Antigo Testamento no Novo Testamento*, p. 76.

[2] "Desta corrupção original, pela qual ficamos totalmente indispostos, incapazes e adversos a todo bem e inteiramente inclinados a todo mal, é que procedem todas as transgressões atuais". *Confissão de Fé de Westminster*, 17ª ed. (São Paulo: Cultura Cristão, 2001), p. 57-64.
[3] John Stott, *Ouça o Espírito, ouça o mundo* (São Paulo: ABU, 2005), p. 46.
[4] John F. MacArthur, *O evangelho segundo Jesus* (São José dos Campos, SP: Fiel, 2003), p. 96.
[5] Idem, p. 99.
[6] Craig S. Keener. *Comentário histórico-cultural da Bíblia: Novo Testamento* (São Paulo: Vida Nova, 2017), p. 103.
[7] José Antonio Pagola, *O caminho aberto por Jesus: Marcos* (Petrópolis, RJ: Vozes, 2013), p. 204.
[8] Papa Francisco, *A felicidade nesta vida: Uma meditação apaixonada sobre a existência terrena* (São Paulo: Fontanar, 2018), p. 25. Ver também Vishal Mangalwadi, *Verdade e transformação* (Curitiba: Transforma Publicações, 2012), p. 71.
[9] Manfred Grellert, *Os compromissos da missão* (Rio de Janeiro: Juerp/Visão Mundial, 1987), p. 17.
[10] Ryle, *Meditações no Evangelho de Mateus*, p. 158.

Capítulo 5
[1] Ricœur, *Amor e justiça*, p. 11.
[2] John Piper, *O que Jesus espera de seus seguidores* (São Paulo: Vida, 2008), p. 286.
[3] John Piper, *A vida é como a neblina: Meditações para revigorar a fé* (São Paulo: Mundo Cristão, 2005), p. 55.
[4] Blaise Pascal, *Pensamentos* (São Paulo: Martins Fontes, 2005), p. 143.

Capítulo 6
[1] Dietrich Bonhoeffer, *Prédicas e alocuções* (São Leopoldo, RS: Sinodal, 2007), p. 86.
[2] Marcos, como Lucas, adiciona ao *Shemá*, na cena da parábola do bom samaritano, a expressão "de toda a sua mente". Mateus cita a tríade coração, alma e mente. Em dois mil anos não se formou, entre os eruditos, um consenso satisfatório dessa diferença textual. A posição geral, no entanto, é que a ênfase recai sobre o fato de que Deus deve ser amado com a totalidade do potencial humano.
[3] Watts, "Marcos", in: *Comentário do uso do Antigo Testamento no Novo Testamento*, p. 274.

[4] Ryle, *Meditações no Evangelho de Marcos*, p. 157.
[5] Elben M. Lenz César, *Práticas devocionais* (Viçosa, MG: Ultimato, 2005), p. 155.
[6] Antônio Carlos Costa, *Teologia da trincheira: Reflexões e provocações sobre o indivíduo, a sociedade e o cristianismo* (São Paulo: Mundo Cristão, 2017), p. 98.
[7] No Antigo Testamento, a palavra hebraica para coração é *leb*; no Novo, o termo grego é *kardia*.
[8] A palavra hebraica para alma é *nephesh*; a grega é *psiche*.
[9] D. Garcia M. Colombás, *Diálogo com Deus: Introdução à "Lectio Divina"* (São Paulo: Paulus, 1996), p. 12.
[10] Um dos termos hebraicos habituais para entendimento é *binah*; o termo grego é *dianoia*.
[11] São Jerônimo, Letter 60 [LX Ad Heliodorum], Select Letters of Saint Jerome. Disponível em: <http://www.newadvent.org/fathers/3001060.htm> Acesso em: 16 de fev. de 2020.
[12] Os termos hebraicos são *on* (poder, força) e *yakol* (luta, força); o termo grego para força é *ischus*.
[13] Tomás de Aquino, *Summa Theologica*, II-2ae, 2, ad2, citado em Víctor Manuel Fernández, *40 formas de oração pessoal: Seminário de crescimento* (São Paulo: Paulus, 2002), p. 35.
[14] Edith Stein, *L'être fini et l'être éternel*, citada em Michel Dupuis, *Orar 15 dias com Edith Stein* (Aparecida, SP: Santuário, 2017), p. 21.
[15] Dewey M. Mulholland, *Marcos: Introdução e comentário* (São Paulo: Vida Nova, 2005), p. 189.
[16] Henri J. M. Nouwen, *Mosaicos do presente: Vida no Espírito* (São Paulo: Paulinas, 1998), p. 124.

Capítulo 7
[1] John Stott, *Por que sou cristão* (Viçosa, MG: Ultimato, 2004), p. 22-23.
[2] Harry R. Boer, *A Short History of the Early Church* (Cambridge, UK: William Eerdmans, 1976), p. 22.
[3] John Stott, *A mensagem de Romanos* (São Paulo: ABU, 2007), p. 423.
[4] John Stott, *Como ser cristão: Um guia prático para a fé cristã* (Viçosa, MG: Ultimato, 2016), p. 127.
[5] Daniel Lança, *O segredo de Salomão: Lições milenares sobre ética e compliance* (Brasília: Charpentier, 2019), p. 35.
[6] João Calvino, *A verdadeira vida cristã* (São Paulo: Novo Século, 2000), p. 35.

Capítulo 8
[1] Stott, *Por que sou cristão*, p. 100-101.
[2] Félicité de Lamennais, *Palavras de um homem de fé* (São Paulo: Martins Fontes, 1998), p. 16.
[3] Manfred Grellert, *Os compromissos da missão* (Rio de Janeiro: Juerp/Visão Mundial, 1987), p. 35.
[4] John MacArthur, *Comentário bíblico MacArthur* (Rio de Janeiro: Thomas Nelson, 2019), p. 1260.
[5] Charles Haddon Spurgeon, *Um ministério ideal*, vol. 1 (São Paulo: PES, 1991), p. 20-21.
[6] Juan Crisóstomo, *Comentario a la Carta a los Gálatas*, Biblioteca de Patrística (Madri: Ciudad Nueva, 1996), p. 156.

Capítulo 9
[1] Os testemunhos extrabíblicos acerca de Tiago, líder da igreja em Jerusalém, são amplos, como se verifica, por exemplo, no texto de Eusébio na *Historia Ecclesiae* (3,11; 3,32,2s; 4,22), citado em Jürgen Roloff, *A Igreja no Novo Testamento* (São Leopoldo, RS: Sinodal, 2005), p. 88.
[2] Por isso ele também é conhecido como Tiago Adelfoteu, ou "*Adelphotheos*", que significa "Irmão de Deus".
[3] Flávio Josefo, *Antiguidades Judaicas* 20,201s, citado em Papa Bento XVI, *Os apóstolos: Uma introdução às origens da fé cristã* (São Paulo: Pensamento, 2008), p. 84.
[4] Santo Agostinho, Sermão 25, 8, citado em Conselho Pontifício para a promoção da Nova Evangelização, *As obras de misericórdia: corporais e espirituais*, 2ª ed. (São Paulo: Paulus, 2017), p. 31-32.
[5] MacArthur, *Comentário bíblico MacArthur*, p. 1839.
[6] Bento XVI, *Deus caritas est*, p. 28.
[7] Susana Berbet, *Bienvenidos: Histórias de bolivianos escravizados em São Paulo* (Belo Horizonte: Editora Moinhos, 2018), p. 15.
[8] Daniel R. Hyde, *O que é um culto reformado?* (Recife: Os Puritanos, 2012), p. 33.
[9] Oscar Cullmann, *Dieu et César: Le procès de Jésus, Saint Paul et l'autorité, L'Apocalypse et l'Etat totalitaire*, Civilisation et Christianisme (Neuchântel-Paris: Delachaux et Niestlé, 1956).
[10] *Didaquê: Instrução dos apóstolos: catecismo dos primeiros cristãos* (Petrópolis, RJ: Vozes, 2019), p. 43. A Didaquê é um pequeno manual de orientação para a igreja sobre várias atividades práticas e foi compilado aproximadamente entre os anos 50 e 120 d.C.

Sobre o autor

Davi Lago é mestre em Teoria do Direito e graduado em Direito pela PUC Minas. É pesquisador do Laboratório de Política, Comportamento e Mídia da Fundação São Paulo (LABÔ), onde coordena o grupo de pesquisa sobre Cidades Transparentes. Atua como colunista do portal HSM Management, assinando o *blog* Perspectivas de Carreira, e publica artigos regularmente em seu *website* (www.davilago.com) e em diversos portais como Revista Veja, Estado da Arte/Estadão, Jornal Em Tempo e G1. É também autor de *Brasil polifônico* e coautor de *Formigas*, ambos publicados pela Mundo Cristão. Atua ainda como capelão da Primeira Igreja Batista em São Paulo e como embaixador da Visão Mundial. É casado com Natália e pai da Maria.

Compartilhe suas impressões de leitura,
mencionando o título da obra, pelo e-mail
opiniao-do-leitor@mundocristao.com.br
ou por nossas redes sociais

Esta obra foi composta com tipografia Palatino
e impressa em papel Holmen Book Creme 60 g/m² na gráfica Geográfica